教養としての「世界史」の読み方

本村凌二

PHP文庫

○本表紙図柄＝ロゼッタ・ストーン（大英博物館蔵）
○本表紙デザイン＋紋章＝上田晃郷

はじめに

「日本史は好きだが、世界史はどうも……」

しばしば、そんな声を耳にします。とはいえ、昨今ではコロナ禍《か》も落ちつき、外国を訪れる機会も増え、来日する外国人も戻ってきました。世界の情勢は刻々と変化し、日本も為替をはじめ、さまざまな影響を強く受けています。

もはや海外の出来事に無関心ではいられなくなったせいか、以前に比べて世界史に対する関心が高まっている気がします。「世界史」と銘《めい》打つ本も数多く出されており、それなりに読まれていると聞いています。

しかしながら、私の印象では、これらの語り手の多くが歴史家ではないという点は気になるところです。これが医学や物理学の話になると、まずは専門家が出てくるはずです。ところが、歴史となると、広く理解しやすいせいか、専門の歴史家が前面から退《しりぞ》いているように見えます。

ここでいう歴史家とは、実証史学の訓練を受けた狭義《きょうぎ》の研究者という意味です。これらの歴史家の多くは自分の狭い領域に閉じこもって、専門を異にするほかの時代や地域について口を挟《はさ》みたくないという気持ちがあるようです。間違ったことを言うのを憚《はばか》るという良心のささやきは、よく理解できます。

しかしながら、狭義の歴史家だからこそ、よく見える出来事もあるはずです。筆者は狭義の歴史家としてはローマ史の研究者ですが、ときには現代に生きる日本人として狭義の専門をこえて語るのも恥じるべきではないと思っています。専門研究と人生の経験を積み重ねた自分だからこそ視界に入る歴史もあるはずです。それについて世界史という文脈で考えることも大切だと思います。

異国の過去の出来事も、自分の生まれ育った国と比較すればわかりやすいところがあります。たとえば、ローマ帝国の社会は江戸時代後期の社会と並べてみると理解しやすくなります。ローマも江戸も人口一〇〇万人ほど。清潔な浄水も配慮され、公衆浴場や銭湯がさかんであり、ローマでは風刺詩《ふうしし》、江戸では川柳《せんりゅう》・狂歌がもてはやされ、識字率も高かったと言います。そういう目で見れば、現代の日本人にもローマ社会が身近に感じられてくるのではないでしょうか。

このような比較に気づくのも、ローマ史を専門とする日本人だからこそだと言えます。広く世界史を見渡すことも大切ですが、歴史上の出来事をどのように読み解いていくかは、さらに重要な姿勢になります。

文字が開発され、人類の文明史が始まって五千年が経ちました。しかし、その期間の四千年は古代だったのです。とくにローマ帝国に流れ込む地中海世界の歴史は人類にとって計り知れない意味をもっています。この地中海世界の文明史を基軸にしながら世界史を見渡せば、たんなる鳥瞰図《ちょうかんず》とは異なる「世界史の読み方」ができるはずです。

もちろん誰であれ興味を抱き、歴史の意義を感じる人が発言することは悪いことではありません。本書では古代史を専門とする歴史家が解読する世界史の一例を示したつもりです。この試みが「専門外の領域には口を挟まず」という現在の傾向に一石を投じることになれば幸いです。

本村凌二

教養としての「世界史」の読み方

目次

第2章　ローマとの比較で見えてくる世界

第3章 世界では同じことが「同時」に起こる

漢帝国とローマ帝国、孔子と釈迦

第4章　なぜ人は大移動するのか

ゲルマン民族、モンゴル帝国、大航海時代から難民問題まで

第5章 宗教を抜きに歴史は語れない

一神教はなぜ生まれたのか

第6章 共和政から日本と西洋の違いがわかる

なぜローマは「共和政」を目指したのか

第7章 すべての歴史は「現代史」である

「今」を知るために歴史を学ぶ

序章

「歴史に学ぶ」とは何か？

愚者は経験に学び、賢者は歴史に学ぶ

グローバルスタンダードの「教養」とは何か

今回、あえて「教養としての」と銘打った世界史の本を書くことにしたのには、ちょっとした理由があります。

私は東京大学退官後に、早稲田大学の国際教養学部というところで教鞭を執《と》っていたのですが、学生たちは「国際」の名にふさわしい高い語学力を有しているのに、「教養」となると、残念なことにかなり怪しいと言わざるを得ない、という事実に直面したからです。

恐らくこれは、早稲田の学生に限ったことではなく、多くの日本人に共通している問題だと思います。

確かにスキルとしての英語を身につけることは大切ですが、肝心の教養が身についていなければ、その得意の英語力をもってしても国際舞台で会話を楽しむことは難しいでしょう。なぜなら、「教養」がないと「中身のある会話」ができないからです。

国際人として、いいえ、それ以前に社会人として、教養は語学力以上に大切です。

国際社会でも通用する教養を身につけたい。

そう思ったときに問題になるのが、国際社会における「教養」とは何か、つまりグローバルスタンダードの「教養」とは何か、ということです。

これについては、異なる意見をお持ちの方もいるかもしれませんが、私はグローバルスタンダードの「教養」は、「古典」と「世界史」だと思っています。

長い年月にわたって、多くの人に読み継がれてきた文芸や思想の作品である「古典」には、時代が大きく変化してもなお変わることのない、人間社会の普遍的な真理が詰まっています。

ですから、古典はきちんと読めば、多くの大切なことを学ぶことができます。

事実、私はこれまでの人生で多くの本を読んできましたが、深く心に残っているのはいずれも古典の名著と言われているものばかりです。

最近は「古典」を手に取る人が少なくなっていますが、それは食わず嫌いのようなもので、読めばきっと面白いと感じるはずです。

事実、二〇〇六年には亀山郁夫《かめやまいくお》氏の新訳がきっかけとなり、ドストエフスキーの『カラマーゾフの兄弟』がベストセラーになるなど、優《すぐ》れた古典は繰り返しブームを起こす力を持っています。

本書の中でも、良書をできるだけ紹介していきたいと思っていますので、みなさんもぜひ一冊でも多くの古典に親しんでいただきたいと思います。

教養を培《つちか》うもう一つの柱は「世界史」です。もちろん、ここで言う世界史には日本の歴史も含まれています。

なぜ世界史が教養に必須なのかというと、歴史は人類の経験の集大成にほかならないからです。

愚者は経験に学び、賢者は歴史に学ぶ

これは鉄血宰相《さいしょう》の異名で知られるドイツの宰相オットー・フォン・ビスマルク（一八一五〜一八九八）の言葉だと言われているものですが、彼が残した実際の言葉はちょっと違っていたようです。

Nur ein Idiot glaubt, aus den eigenen Erfahrungen zu lernen.
Ich ziehe es vor, aus den Erfahrungen anderer zu lernen, um von vorneherein eigene Fehler zu vermeiden.

これを直訳すると「愚者だけが自分の経験から学ぶと信じている。私はむしろ、最初から自分の誤りを避けるため、他人の経験から学ぶのを好む」となります。

直訳だと言葉のインパクトは弱くなりますが、言わんとしていることは先の格言とほぼ同じと言っていいでしょう。

つまり、経験というのは、個人の体験でしかないので、自《おの》ずとその範囲も規模も限定されてしまうが、歴史は、少なくとも過去五千年にわたる文明史の、あらゆる人々の経験の集大成なので、個人の経験よりはるかに多くのことを学ぶことができる。だから賢い人は歴史に学ぶのだ、ということです。

人間社会の普遍的な真理を教えてくれる「古典」と、人類の経験の集大成である「世界史」、この二つをきちんと学び、身につけることで「教養」の基礎が築かれるのだと私は思います。

なぜ人は「歴史に学ぶ」ことができないのか

「古典」は真理を教えてくれる貴重なものですが、「歴史に学ぶ」ということは、ただ本を読んで理解するだけではありません。

どうすれば、「歴史に学ぶ」ことができるのでしょう。

実は、これは私自身がずっと持ち続けてきた問いでもあります。

ただ歴史書を読み、年号や出来事、人物の名前を覚えたとしても、それだけでは歴史に学んだことにはなりません。

私がそう思うようになったのは、高校生のときに読んだ『歴史哲学講義』（ヘーゲル著・鬼頭英一訳・春秋社／上下巻）という本に、次のような言葉があったからでした。

経験と歴史が教えてくれるのは、民衆や政府が歴史からなにかを学ぶといったことは一度たりともなく、また歴史からひきだされた教訓にしたがって行動したことなどまったくない、ということです。

『歴史哲学講義』は、十九世紀のドイツを代表する哲学者ゲオルク・ヴィルヘルム・フリードリヒ・ヘーゲル（一七七〇〜一八三一）の講義をまとめたものです。

この言葉が意味しているのは、集団としての人間は、いまだかつて歴史から学ぶことができていない、ということです。確かに、人類はその歴史の中で、何度も同じような過《あやま》ちを繰り返してきています。

歴史について考えるとき、私はいつも、この言葉が脳裏に浮かぶのです。

そして同時に、一つの疑問が浮かびます。

それは、集団としての人間は歴史に学べなくても、個人としてであれば、人は歴史の教訓にしたがって生きることができるのではないか、ということです。

私が大学で西洋史を専攻したのも、実は世界史に特に興味があったというよりは、「歴史哲学」というものを学びたいという気持ちが強かったからなのです。

しかし、日本の大学には「歴史哲学」という科目はありません。あるのは「哲学」か「歴史」です。どうしても歴史哲学をやりたいのであれば、選択肢は二つ──哲学をやって歴史を考えるか、歴史をやって哲学を考えるか、です。

ここで私は、迷わず歴史を選びました。

なぜなら、歴史哲学を掲げたヘーゲル自身がそうなのですが、哲学者が考える歴史は、どうしても観念的な色合いが強くなってしまうからです。

私としては、もっと具体的な素材を踏まえて、歴史的な出来事の中に意味を見いだす歴史哲学がしたかったのです。

つまり、私にとっての歴史哲学とは、歴史の中から「意味」を汲《く》み出《だ》していくことなのです。

そうした思いから、私は東京大学で教鞭を執っていたときに一度、「歴史哲学」という名の授業をやったことがあります。

そのとき、なぜ人は歴史に学ぶことが難しいのか、ということについても深く考えました。そして気づいたのが、「人間は見たいものを見るのであって、現実そのものを直視する人は少ない」ということでした。

いくら知識を詰め込んでも「歴史に学ぶ」ことができないのは、現実から「意味」を見いだすことができていないからです。歴史から「意味」を汲み出すことができれば、それがいい意味であれ、悪い意味であれ、人は学びを得ることができるのだと思います。

たとえば、以前、某カルチャースクールで「民族移動」をテーマに、古代ローマ、モンゴル帝国、オスマン帝国、ユダヤ教と四回シリーズの講義が開かれることになり、私はその中の「古代ローマ」の回を担当したのですが、担当者も驚くほどの盛況でした。

通常、この手の講義では三〇人前後集まればいいほうなのですが、そのときはなんと七〇人もの受講申し込みがあったのです。

なぜ、これほど多くの人が集まったのかおわかりでしょうか。

私の人気、と言いたいところですが、そうではありません。人々は「民族移動」というテーマの中に、当時、話題になっていた難民問題を考えるヒントを得ようとしていたのです。つまり、民族が移動することの「意味」を知りたいと思ったのです。

人は、自分が興味のあるものしか見ようとしません。難民問題は、今の問題であり、近く自分たちの生活にも大きな影響が及ぶであろうことを、自分の肌で感じているから、「民族移動」という歴史的事実に「意味」を見いだすことができたのです。

しかし、民族移動の講義を興味深く聴講した人たちでも、ほかの時代、ほかのテーマになると、そこに「意味」を見いだせなくなるので、途端に興味を失ってしまいます。

でも、歴史の中に潜《ひそ》む意味や教訓は、わかりやすいところにばかりあるわけではありません。よくよく考えたときに初めて見えてくるものが、とても重要なこともあるのです。そして、そうした隠れた意味や教訓は、事実そのものを直視して、真摯《しんし》に歴史と向き合わないと見えてこないものなのです。

これが、人々が「歴史に学ぶ」ことが、なかなかできない理由なのだと私は思います。

トルストイの痛烈な歴史家批判

歴史を学ぼうと思ったとき、多くの人は歴史家の書いた本を手にします。ところが、読んではみたものの、面白くなくて途中で読むのをやめてしまった。そんな経験をお持ちの方も多いのではないでしょうか。

残念ですが、歴史の専門書があまり面白くないというのは、ある意味事実だと思います。しかも、それは今に始まったことではないようです。ロシアの文豪レフ・ニコラエヴィチ・トルストイ（一八二八～一九一〇）は、『戦争と平和』のエピローグで、歴史家を痛烈に批判しています。

これはメモワールや各国史の編者から、当時の世界史や新しい種類の文化史にいたるまで、すべての歴史が与えている矛盾した、問いに答えていない答えを、もっともお手柔らかに示したものだ。

こうした答えの奇妙さ、滑稽さが生じるのは、新しい歴史が、だれもしていない質問に答える耳の遠い人に、似ているからである。

(『戦争と平和 6』「エピローグ 第二篇」より トルストイ著・藤沼貴訳・岩波文庫)

つまり、歴史家というのは誰も興味のない、質問すらしていないようなことを、自分勝手に論じているにすぎない。それだから、彼らが書くものは面白くないのだ。そのような誰も興味を持たないものを書いてどうするんだ、というわけです。

トルストイが『戦争と平和』を書き上げたのは、彼を批判した歴史家に対するアンチテーゼとしてであり、この作品を通して、歴史家に「どうだ、読んでもらえる歴史書というのは、こうやって書くものなんだ!」と言いたかったのでしょう。

確かに『戦争と平和』は、登場人物が生き生きと描かれ、読者を引き込む力を持っています。世界最高の歴史文学作品と言ってもいいでしょう。

それに対し、歴史家の学術論文の中には、専門家の私でさえ「いったいこれの何が面白いんだろう」と思うものが少なからずあります。

歴史家が書くものは面白くないからなのでしょう。最近は、歴史家ではない人の書いた歴史書、たとえば、ジャーナリストの池上彰《いけがみあきら》さんと元外交官の作家・佐藤優《さとうまさる》さんの『大世界史　現代を生きぬく最強の教科書』（文春新書）など、わかりやすく説明してくれる読みやすい世界史の本がよく読まれています。

こうしたわかりやすく読みやすい歴史書を、本当は歴史家が書かなければならないと思うのですが、間違ったことを言うのが怖いので、歴史家は自分の専門以外のことについては、あまり書きたがらない傾向があります。

そのため専門化すればするほど、書くことの範囲が狭くなり、一般の人々にとっては面白くないものになってしまいがちです。

そういう意味では、池上さんも佐藤さんも、歴史の専門家ではないからこそ、大胆に事象を嚙《か》み砕《くだ》いて話すことができるので、結果的に面白いものになるのだと思います。

でも、それはある程度は仕方のないことだし、学者としてはそれでいいのだとも思っています。たとえ面白くなくても、深く研究する価値が歴史にはあるからです。

トルストイの『戦争と平和』は、確かに読んで面白いものです。しかし、大まかな歴史の流れは押さえているものの、やはりあれは小説、面白くつくられたフィクションです。

フィクションと比べれば、歴史家が書くものは面白くないかもしれません。それでも歴史家が書いたものには、彼らが真摯に向き合った人類の経験が、最も史実に近い形で詰まっているのです。その価値は、フィクションとはまた違ったところにあるものだと思います。

ですから私は、歴史家が書くものはつまらないものが多いという皮肉な意見もありますが、そういうことも含めて、人類の膨大な経験に真摯に向き合う、という意識を持って世界史と向き合ってほしいと思うのです。

「教養」を身につけるための七つの視点

歴史学者の一人として、歴史家の書く専門書の意義を申し上げ、少々擁護しましたが、論文はともかく、歴史家といえども、一般書はある程度読んで面白いと思っていただけるものを書く必要があると思います。

私はトルストイに対して、「どうだ、歴史家が書くものだって結構面白いだろ」と豪語するほどの自信はありませんが、本書では専門家が陥《おちい》りやすい恐れを捨てて、自分の専門分野外の歴史についても、また、歴史学上はまだ確定していない新説や持論も織り交ぜて、できるだけ多くの人に興味深いと思っていただける内容にしたいと思っています。

そこで本書では、通常の歴史書のセオリーでもある「縦の歴史（時系列）」に加え、「横の歴史」と言える世界全体への視点をふんだんに盛り込んで、各国の歴史の集合体としての世界史ではなく、文字通り世界の歴史、人類の歴史という観点で、人類はいかにして生きてきたのか、そこからわれわれは何を学べるのか、という私なりの歴史哲学の世界をご提案していきたいと思っています。

歴史哲学を味わっていただくために、私が用意したメニューは、次の「七つの視点」です。

この七つの視点は、日本人が苦手とする内容です。なぜなら学校であまり教えてくれないものだからです。しかし、グローバルスタンダードの「教養」を身につけるには必須のことだと思います。

❶文明はなぜ大河の畔《ほとり》から発祥したのか
❷ローマとの比較で見えてくる世界
❸世界では同じことが「同時」に起こる
❹なぜ人は大移動するのか
❺宗教を抜きに歴史は語れない
❻共和政から日本と西洋の違いがわかる
❼すべての歴史は「現代史」である

どのようなことをお話しするのか、ここではそのさわりを少しだけご紹介しましょう。

❶文明はなぜ大河の畔から発祥したのか

文明の発達は、世界中同じスピードで進んでいるわけではありません。

一四九二年にコロンブスが新大陸を発見したとき、アメリカ大陸はまだ原野に等しく、そこで暮らす人々の生活は、当時のヨーロッパ文明と比べるとはるかに原始的なものでした。

アメリカ大陸では、なぜ文明が発達しなかったのでしょう。

この問いは同時に、なぜ古代ギリシアや地中海世界では、あんなにも早く文明が生まれ発達したのか、という問いでもあります。

こうした問いの答えの一つとして私が考えているのは、実は「馬」の存在の有無です。

私は以前『馬の世界史』（中公文庫）という著書のプロローグで、「もし馬がいなかったら、二一世紀はまだ古代だった」と書きました。私の競馬好きをよく知っている人たちは笑いましたが、これは大まじめな本心です。

文明の発祥はともかく、少なくとも馬の有無で文明の発達スピードが大きく変わることは間違いのない事実です。二十世紀を代表するドイツの哲学者カール・ヤスパース（一八八三～一九六九）も、このことに言及しています（『歴史の起源と目標』）。

馬は人や物資をより遠くに、より速く届けることができます。加えて、戦車や騎馬隊に使われることで大きな武力につながります。つまり馬を活用することが、人間社会が文明の段階に入っていく大きな牽引力《けんいんりょく》になるのです。

「そんなことを言うが、アメリカの先住民だって馬に乗っていたじゃないか」と思った人がいたら、それは古きよきアメリカ西部劇によって刷り込まれた勘違いです。

実は、アメリカ大陸には、ヨーロッパ人がやってくる十五世紀まで馬はいなかったのです。

より正確に言うと、馬の化石はたくさん出るので、一万年前までさかのぼれば馬はたくさんいました。でも、それらは人類がアメリカ大陸に住むようになって数千年の間に、みんな食べ尽くされて絶滅していたのです。

中米で立派な石積み建造物をつくっていたインカ文明の遺跡や遺物を見るとわかりますが、馬の姿を描いたものは一つも存在しません。彼らが利用していたのは、リャマやアルパカといったラクダ系の家畜ばかりです。

とはいえ、馬の存在の有無だけで文明の発祥・発達が決まるわけではありません。

　では、ほかにどのような条件が関わっているのか、第1章では、何をもって「文明」と言うのか、ということも併せて考えていきたいと思います。

❷ローマとの比較で見えてくる世界

「ローマの歴史の中には、人類の経験のすべてが詰まっている」

　これは、丸山眞男《まるやままさお》氏（政治思想史学者／一九一四～一九九六）が、今から五十年ほど前のある対談の中で語った言葉です。

　正確な文言は忘れましたが、その対談の中で丸山氏は、「人類が経験することは全部、すでにローマ史の中で経験してしまっている。だから、ローマ史というのは、ある意味、歴史ないし社会科学の壮大な実験場だと言える」といった内容の話をしていらっしゃいました。

　私がこの対談を読んだのは、大学院生のときでしたが、深く感銘を受けたのを今でも覚えています。

　実際、ローマの歴史は、文明の雛型と言っても過言ではない完璧なプロセスで、歴史の起承転結が展開されています。

イタリア半島で生まれた小さな部族国家が、ラティウム（イタリア中央西部地方）を統一し、イタリア半島を統一し、やがては西地中海に覇権を伸ばし、カルタゴと戦い、ついには地中海全体を呑《の》み込《こ》んで大帝国を打ち立てるのです。その帝国の勢力の大きさは、ソビエト連邦（一九二二～一九九一）が七十年しか続かなかったことと比較すれば、よくわかります。

これに対して、ローマ帝国は、帝政期になってから、短く見ても五百年近く、ビザンツ（東ローマ）帝国まで考えれば、千五百年も続いているのです。

あれだけ広大な地域を、これほど長い年月にわたって維持した帝国は、ほかに類を見ません。しかし、その安定を誇ったローマ帝国も、やがて没落していきます。

ですから、ローマ史における問い、「なぜ、興隆できたのか」「なぜ、あれほど安定した支配を続けられたのか」、そして「なぜ、没落してしまったのか」という問いは、ほかのすべての文明を考える上での、一つの指針と言えるものなのだと思います。

つまり、典型的な文明の栄枯盛衰《えいこせいすい》を見せてくれるローマ史と、いろいろな地域・時代とを比較することで、その文明度や特性というものが明らかになっていく、ということです。

たとえば、ローマ史と日本史を比較したとき、単純な横軸だけで見ると、同じ古代なのだから奈良時代とか平安時代の日本とローマを比較してみるべきだろう、と考えてしまいがちですが、実際には、奈良や平安ではローマと比較になりません。

私に言わせれば、ローマとの比較に堪《た》えうるのは江戸時代です。

文明度ということでは、それでもまだローマのほうが高いと思いますが、江戸時代とローマはかなり接近していると思います。

日本人としてローマを理解したり、あるいは、ほかと比較することで日本を理解しようとするなら、江戸時代、それも前期ではなく江戸後期（一七五〇年以降）とローマ時代を比較するといいでしょう。

そうすると、両者がとても似ていることがわかります。たとえば水道設備。ローマにはいくつもの水道が引かれていますが、江戸も玉川上水《たまがわじょうすい》など、非常にきれいな上水道が引かれています。

江戸後期と同時期にあたる十八世紀後半のロンドンやパリの水事情は、それはもうひどいものです。パリでは特別な上水道はなく、セーヌ川の上流から引いた水を町中に流すのですが、とても清潔と言えるような水ではありませんでした。

ほかでは、ローマは文芸面ではギリシアにかなわなかったのですが、世の中が退廃していることを「風刺詩」という形で表現することに長《た》けていました。江戸後期の日本でも、社会風刺が川柳や狂歌といったものにより、盛んに行われています。

このように、ローマと比較することで、その歴史から人間生活の規範のようなものを学ぶことができるのです。

❸世界では同じことが「同時」に起こる

前二〇二年。この年はローマ史において、とても重要な年です。

なぜなら大スキピオ率いるローマ軍とハンニバル率いるカルタゴ軍が、北アフリカの「ザマ」というところで戦いを繰り広げ、それまで劣勢だった第二次ポエ二戦争にローマ軍が大勝利を収めた年だからです。

このザマの戦いの大勝利によって、ローマは西地中海の覇権を握り、事実上「ローマ帝国」の礎《いしずえ》を築きます。

西洋世界のその後の運命を決めたと言っても過言ではないこの年、目を東に転じると、実は東洋世界でも、その後の東洋の運命を決める、一つの戦いが行われているのです。

それは「四面楚歌」の故事で知られる、項羽《こうう》と劉邦《りゅうほう》の決戦「垓下《がいか》の戦い」です。

劉邦はこの戦いに勝利したことで、のちの漢帝国の基盤を築いています。

つまり、奇《く》しくも前二〇二年に洋の東西で、同時に「大帝国」の基礎が築かれていたのです。

この「ザマの戦い―ローマ帝国」と「垓下の戦い―漢帝国」の例は、まったく同じ年という、奇跡的な同時代性を示したものですが、ここまで完全な同時ではないものの、世界では離れた場所で、ほぼ同時期に同じようなことが起きている例がいくつもあるのです。

縦軸の歴史ばかり見ているとなかなか気づかないこうした「同時代性」を見ていくことで、それまで見えてこなかった世界の姿に触れることができると思っています。

❹なぜ人は大移動するのか

先ほど、難民問題の影響で、カルチャースクールで行った「民族移動」をテーマとした講義に七〇人もの人が集まったという話をしました。

日本は周囲をすべて海に囲まれた島国なので、国境をこえて異民族が大量に流入してくるという経験がほとんどありません。それだけに近年の難民問題に大きな脅威と不安を感じたのだと思いますが、歴史に照らしてみれば、民族移動とか、人々がいろいろな場所に流れていくというのは、過去五千年の文明史の中で、ごく当たり前のように、世界各地で繰り返されていることなのです。

では、なぜ人々は動くのでしょう。

細かく言えば、寒冷化や食糧不足、戦乱や宗教問題など、いろいろあるのですが、ごく簡単に言えば、基本的に人は条件のいい場所を求めて動くのです。

現在のシリア難民の場合は、まともな社会生活が営《いとな》めないほどの混乱の中で、生きるために仕方なく移動しているわけですが、「今より条件のいい場所」を求めて動いているという意味では同じです。

仕方なくにしろ、自分たちの意思にしろ、大勢の人々が動くということは、流入された場所でも、ちょうど玉突きのような形で新たな民族移動が誘発されるので、大きな動きに発展してしまいます。

異なる民族が流入してくることによって、言語や宗教、そして文化の交錯が生じるので、民族移動の影響は、単なる人の移動にとどまらず、それまで存在しなかった新しい世界秩序の形成を促すことにつながります。

日本人は、外からの侵入がないのと同時に、自分たちが海の外に出ていくこともほとんどないので、なかなか実感しにくい問題だと思いますが、今や人々の移動に海がほとんど障害にならない時代になっています。

そういう意味では、難民問題も、もはや対岸の火事として高みの見物をしていられない状況になりつつあります。

さらに、近年の日本で懸念されているのが、朝鮮半島での大規模な異変の危険性です。もし北朝鮮が崩壊したら……。多くの人々は韓国や中国へ流れていくと思いますが、当然、日本にもやってくるでしょう。

そういうことが起こる可能性がある今だからこそ、世界で繰り返されてきた「民族移動」の要因と影響をきちんと知っておくことが必要だと思うのです。

❺ 宗教を抜きに歴史は語れない

アメリカの政治学者サミュエル・P・ハンチントン（一九二七〜二〇〇八）は、その著書『文明の衝突』の中で「文明とは宗教である」と示唆《しさ》しています。

世界はさまざまな文明から成り、そのさまざまな文明が対立、衝突するのは、文明の本質が宗教に根ざしているからです。

日本人は政治と宗教を切り離して考える傾向がありますが、現実問題として、世界は宗教抜きに語ることはできません。

神はいつ誕生したのか。

多神教世界から、どのようにして一神教が生まれたのか。

日本人が見過ごしがちな宗教という問題について、そのルーツから解きほぐしていきます。

❻ 共和政から日本と西洋の違いがわかる

日本は民主主義をかかげる国家ですが、「共和国」と言えるでしょうか？

民主主義と共和主義は、どのように違うのでしょうか？

あなたは、この問いに自信を持って答えられるでしょうか。

実は、日本人には、共和思想というものがわかりにくいのです。なぜなら、日本は古代からずっと天皇家を戴《いただ》き、さらには、時代によって違いがあるものの幕府という為政者《いせいしゃ》の下で生きてきたからです。

日本人は、小さな共同体において物事を話し合いで決めることはありましたが、民衆というレベルで国家の問題について議論・対処することは近代までほとんどしていません。

これに対し、西洋の根本は共和政です。

西洋にも君主を戴く王国は多数存在してきましたが、それでも彼らの精神の根底には共和主義が根ざしています。

両者の違いは、どこにあるのでしょう。

一つは、東洋における君主と、西洋における君主の違いにあるのではないかと思います。

ローマの皇帝が典型ですが、西洋の為政者は民衆に姿を見せ、さまざまなパフォーマンスを行います。しかし、東洋の為政者は、中国の皇帝も日本の天皇や将軍もそうですが、その身は常に御簾《みす》の向こうにあって、民衆の目に触れることはほとんどありません。

ローマの共和政の基本というのは、実は、話し合いによる多数決ではなく、独裁を許さないことなのです。

独裁を許さないということは、独裁者でなければリーダーはいてもいい、ということでもあります。

実際、古代ギリシアでもローマでも、国家が最も上手く機能していたときというのは、非常に優れたリーダーが、民衆を演説によって説得し、導いていたときなのです。

西洋の君主国家は、このような土壌で育《はぐく》まれたものなので、実は王といえども、それは絶対的な存在ではなく、あくまでもリーダーとしての意味合いが大きいのです。

真の「共和」とは、どのようなものなのか。ローマの共和政を柱に見ていくことで、西洋への理解も深まっていくことでしょう。

❼すべての歴史は「現代史」である

歴史は過去のことを学ぶ学問だと多くの人が思っています。

確かに歴史学者は過去のことを知るために文献を調べ、遺跡を調査し、当時の人々に関する知識を深めます。

歴史という学問に知識は必要不可欠ですが、単に知識を得ることが歴史という学問の本質ではありません。われわれ学者が必死に過去の知識を学ぶのは、今の選択に役立てるためです。

広島の原爆死没者慰霊碑には「安らかに眠って下さい　過ちは繰返しませぬから」と刻まれています。歴史に学ぶとはどういうことなのか、その答えがこの言葉だと思います。

「ローマの歴史の中には、人類の経験のすべてが詰まっている」という丸山眞男氏の言葉には、ローマがその歴史の中で犯した過ちを、人類は今の歴史でも繰り返している、という一種の皮肉が込められているのかもしれません。

過去に学ぶ最善の方法は、過去の出来事を自分とは切り離された関係のないものだと思わず、自分の問題として受け止めることです。

今起きている問題の多くに、過去に人類が犯した過ちが関係しています。過去と今はつながっているのです。過去の出来事を、今の視点で見直すことで、歴史から得た知識を未来に活かす道を探ります。

なぜ「世界史」がブームなのか

歴史を学ぶとき、これまでは、まず日本史から始めるという人がほとんどでした。事実、私の周りにも日本史は好きだけれど、世界史は今ひとつ、という人がたくさんいます。

世界史が敬遠される理由は、いくつかあります。

中でも最も多いのが、五千年以上という年月の長さと、文字通り世界中という範囲の広さです。加えて登場する人名や地名がカタカナばかりで覚えづらい。漢字ならいいかというと、中国史の地名・人名はカタカナ以上に読みにくかったりします。

もう一つ、あまり意識されていませんが、実は大きな障壁になっているのが、イメージが湧きづらい、ということなのです。

日本史だったら、たとえば、豊臣秀吉と言えばサルみたいな顔をしているとか、徳川家康はタヌキオヤジだというように、すぐにイメージが湧きますが、ユリウス・カエサルと言ったときに、どれだけの日本人がその姿をイメージできるでしょうか。

でも、ヨーロッパの人たちにとっては、カエサルと言えば、日本人にとっての秀吉や家康のように、すぐにイメージが湧く存在なのです。

同じことが地名に関しても言えます。

日本であれば、たとえそれが「奥州《おうしゅう》」や「難波《なにわ》」といった古い地名であっても、そこがどこに位置し、どんな特徴を持った場所なのかということがすぐにわかりますが、世界史となると、かろうじて国の位置がわかるぐらいで、都市名からその土地をイメージすることはなかなかできません。

実際、私が大学生の頃は、フランスというとフランス革命、ロシアというとロシア革命、イギリスというと産業革命というように、エポックメイキング的なものしかイメージできなかった時代でした。

そんな世界に対する距離感が、世界史を敬遠させていたのです。

ところが、一九八〇年代頃から、日本人の世界に対する距離感は変わっていきました。海外旅行に気軽に出かけられるようになり、留学する学生が増え、明らかに世界が身近になったのです。

正直に言って、これほど簡単に外国へ行ける時代が来るとは思っていませんでした。

学問の世界で外国史を志《こころざ》しても、一生のうち一年か二年留学できたとしても、その後はずっと国内で研究するしかない。私も学生時代は、そう思っていました。

そんな私も、一九八〇年代以降、コロナ禍以前までは、ほとんど毎年のように海外に行っていました。

何度も海外に行くようになると、たとえばフランスのパリへ行ったからといって、フランス革命のことなど思い出しもしなくなります。バスティーユにでも行けば、少しは思い出すかもしれませんが、馬好きの私はすぐにロンシャン競馬場に行ってしまうので、フランス革命のことなど思い出しもしなくなるのです。

これはイタリアでも同じです。

ローマ史の専門家なのだから、イタリアでは常にローマのことを考えているのだろうと思われるかもしれませんが、そんなことはありません。もちろん最初は古代ローマに思いを馳《は》せ、夢中になって史跡を見て回りましたが、何度も通えば、あそこの店が美味《おい》しいとか、こっちのホテルのほうが快適だとか、そんな日常的なことが気になるようになるものです。

それだけ外国が身近になったということなのです。

今では多くの人が外国の地名や人名に抵抗がなくなり、以前と比べると随分とイメージしやすくなったように思います。

世界が身近になった今こそ、世界史を学ぶチャンスです。

それと、これは日本人にとって、非常に喜ばしいことなのですが、どうも日本人は「歴史に学ぶ」能力に長けているようなのです。

そんな嬉しい考察をしてくれたのは、『若い読者のための世界史』（中公文庫）の著者エルンスト・H・ゴンブリッチ（一九〇九〜二〇〇一）という人です。ゴンブリッチは歴史家ではなく、ユダヤ人の美術史家ですが、歴史に学ぶという点において、幕末から明治維新にかけての日本人ほど、歴史から多くを学んだ民族はいない。しかも、学んだことで成功した典型的な例だと、日本人をとても高く評価しているのです。

日本人は賢明な民族であった。ヨーロッパはあまりにもいそいで、日本がもとめるものすべてを売りつけ、教えた。わずか数十年のあいだに日本は、戦争と平和のためのヨーロッパのあらゆる技術を身につけた。そしてすべてがそろったとき彼らは、ヨーロッパ人をふたたび、ていちょうに扉の外に締め出した。「もはや、あなたたちができることをわたしたちはできます。いまは、わたしたちの蒸気船で交易にも征服にも行くことができます。あなたたちの平和な都市を、そこで日本人があなどられることがあれば、わたしたちの大砲で攻撃することもできます。」ヨーロッパはあっけにとられた。それはいまもつづいている。日本人は、世界史のもっともすぐれた生徒であった。

（『若い読者のための世界史　下』中公文庫）

わずかな時間で、いろいろなことを学び、消化して、自分のものにして、それで列強を跳ね返してしまう。その後はどこかで道を誤り、戦争に突入し、第二次世界大戦では列強に膝《ひざ》を屈することになりますが、少なくとも日本の興隆期においては、世界史上ほとんど類を見ない「外から学ぶ能力」を持ったすごい民族だと評価しているのです。

歴史を見る限り、確かに日本人は、ほかの民族より「学ぶ力」を持っていると言えるでしょう。しかも、学んだものを自分のものにするだけでなく、それをさらに高める能力も日本人は兼ね備えているのです。

たとえば、種子島に鉄砲が伝来したときも、わずかな時間で完璧なコピーをつくってしまっただけでなく、改良してよりよいものをつくりあげています。

私の知るかぎり、こうした能力に長けているのは、ローマ人と日本人ぐらいのものです。

ローマ人もエトルリアやギリシアなどから、いろいろなものを学習しているのですが、ただ学ぶだけでなく、彼らも日本人同様、「磨き抜かれた、洗練された」といった意味のソフィスティケートしていく能力がとても高いのです。

たとえば、ローマの土木建築は、最初エトルリアに学んだものです。水道橋やコロッセオに用いられた「アーチ工法」も、その基本はエトルリアから学びました。

余談ですが、エトルリア人の技術力は非常に高く、当時のエトルリア人の墓から発見された人骨には、なんと歯にブリッジが施《ほどこ》されているものまであるのです。

ローマは、そうした当時の世界最高峰とも言えるエトルリアの技術を学んだわけですが、学んだものをそのまま使うだけでなく、その後、ソフィスティケートしてさらに高めているのです。

愚者は経験に学び、賢者は歴史に学ぶ

ゴンブリッチは日本人を「賢明な民族」と評しました。

その評に恥じないよう、日本人はその身に宿る学び、ソフィスティケートしていく能力の高さを自覚し、自信を持って世界史を学ばなければいけないと思います。ただし、自信過剰は慎《つつし》むべきでしょう。それも歴史の教訓です。

第1章

文明はなぜ大河の畔から発祥したのか

文明の発達から都市国家と民主政の誕生まで

「文明は都市」「文化は農業」と密接に結びつく

文明の発祥について述べる前に、まず、何をもって「文明」と言うか、ということを考えておきたいと思います。

「文明／civilization」という言葉のもととなったcivitas（あるいはcivis）という言葉には、もともと「市民」という意味がふくまれています。civitasは、ラテン語に直訳するとわかりやすく「civis／たるべきこと」というちょっと抽象的な名詞ですが、ラテン語にするとわかりやすく「市民権」という意味になります。つまり、市民たるべき権利を持った人たちが集まったものが、civitas（市民の集まり）というわけです。

これがやがて市民団を意味するようになり、やがて国家という意味で使われるようになるのですから、文明というのは基本的に、国または市民の集まる都市を前提としたものだと言えます。

文明とよく混同される言葉に「文化」があります。

「文化／culture」の語源となったのは、ラテン語のcolere。これは、「耕す」という意味なので、文化はその土地の自然や風土の影響を色濃く受けるものだということがわかります。

このことから、文化が自然や風土の影響下にあるものなのに対して、文明はそうしたローカルな影響から脱し、広く人々の集まるところに伝播《でんぱ》していく可能性を持ったものだと言えます。

もう少しわかりやすく言うと、文化は自然風土の影響下にあるので、その土地では有効ですが、ほかの土地に行くと通用しない可能性があります。でも文明は、そうした「地域性」を超越した、ある意味「普遍性」を持ったものだということです。

文明が土地ではなく都市と結びついているのは、都市では人口密集地であるがゆえに利便性が求められ、そうした利便性は、ほかの都市に持っていっても、それなりに使えるものになるからです。

先ほど文化という言葉の語源は「耕す」という意味を持った言葉だと言いましたが、事実、文化は農業（agriculture）と密接に結びついています。

植物学者の中尾佐助《なかおさすけ》氏（一九一六～一九九三）は、その著書『栽培植物と農耕の起源』(岩波新書)の中で、農耕・牧畜の起源に照らし合わせて、世界を四つの農耕文化圏に分けて論じています。

①根栽農耕文化

バナナ、サトウキビ、クロイモ、ヤムイモ、タロイモなどが作られる地域。主に湿地帯の多い東南アジアやオセアニアがこれに属します。

②サバンナ農耕文化

ササゲやヒエ、ヒョウタンやゴマなどが栽培される所で、具体的にはアフリカやインドがこれに属します。また、意外に思うかもしれませんが、稲作を行う中国や日本の農耕文化は、同じイネ科の植物であるヒエを栽培していたサバンナ農耕文化がインドを経て伝播したものです。

③地中海農耕文化

オオムギ、コムギ、エンドウにかぶ。地中海という名前になっていますが、始まりはオリエントと呼ばれる西アジアです。特に四大文明の中の一つ、メソポタミア文明が生まれた「肥沃《ひよく》な三日月地帯」こそが、農業の発生地だとしています。

④新大陸農耕文化

これはコロンブスの航海によって発見された「新大陸」、つまり南北アメリカ大陸の農耕文化です。作物はジャガイモ、トウモロコシ、トマトそして唐辛子。どれも日本人にとって馴染《なじ》みの深い作物ですが、これらの作物はすべて新大陸原産で、新大陸の発見を機にヨーロッパに伝わり、そこから世界に広まった作物なのです。

新大陸の発見は、世界にさまざまな変化をもたらしましたが、こうした新大陸原産の作物がヨーロッパに伝わったことで、実はヨーロッパの人口は爆発的に増大しているのです。それは、ジャガイモやトウモロコシ、特に影響が大きかったのはジャガイモなのですが、これが入ってきたことによって、一気に多くの人口を養えるようになったのです。

それまでの主要作物だったオオムギやコムギでは足りなかったものが、ジャガイモによって補われたということです。

こうした分類があくまでも「文化」とされているのは、それは、農耕が自然条件に規定されているものだからです。

もちろん、「文化」であっても、ヨーロッパのジャガイモのように、中には気候風土の異なる場所で根づき、広がるものもあります。

でも、その過程では、異なる気候風土に根づかせ、収穫を上げるために品種改良や農耕技術の工夫がなされています。つまり、文化的なものからどれだけ普遍的なものをつくっていくかというところに、「文明／civilization」は生まれてくる、ということなのです。

「四大文明」が通用するのは日本人だけ

文明の発祥と言ったとき、多くの日本人が思い出すのは、「四大文明」という言葉ではないでしょうか。実際、世界史の本を開くと、文明の誕生と題したページで「四大文明」という項目をよく目にします。

以前、ＮＨＫスペシャルで文明発祥についての特集が組まれたときのシリーズタイトルも「四大文明」（二〇〇〇年放送）でした。

四大文明とは、前五千年紀から前二千年紀にかけて大河流域で発生した四つの文明の総称です。

西から、アフリカ大陸を流れるナイル川流域に栄えた「古代エジプト文明」。西アジアのティグリス・ユーフラテス川流域で発展した「メソポタミア文明」。インドのインダス川流域で興《おこ》った「インダス文明」。そして、東アジアの黄河流域の「黄河文明」の四つです。

少し前までは歴史の教科書にも、文明誕生というと必ずと言っていいほど四大文明が取り上げられていました。

しかし最近は、「四大文明」という言い方はあまりされなくなっています。

なぜなら、四大文明のほぼ同時期や、もっと古い時代に、ほかにいくつもの文明があったことが明らかになり、最近では、それが常識的な知識として広く認知されるようになっているからです。

それに、この「四大文明」という歴史用語を使うのは、実は日本だけなのです。

日本が近代化し、世界史という学問が成立していったとき、世界の文明発祥時期に大きな文明が四つあることがわかっていたことから、当時の学者がそれらを「四大文明」という形で総称するようになったのです。そのため、「四大文明」という言い方は、世界ではほとんど通用しません。

こうした日本独自の「世界史用語」というのが、実はほかにもいろいろあります。たとえばローマ史で用いられる「五賢帝」という用語がその一つです。

五賢帝というのは、紀元九六年に即位したネルウァから始まって、トラヤヌス（在位九八～一一七）、ハドリアヌス（在位一一七～一三八）、アントニヌス・ピウス（在位一三八～一六一）、マルクス・アウレリウス（在位一六一～一八〇）までの、ローマが「パクス・ロマーナ／ローマの平和」と呼ばれる繁栄の時代の皇帝を総称する言葉ですが、現地では使われていません。

四大文明も五賢帝も、世界史というものに不慣れだった日本人が、世界史を理解し整理する段階で生み出した一つの分類方法なのです。

ですから、グローバルスタンダードの教養を身につけるために歴史を学ぶ場合、こうした日本式の用語を理解の助けとして活用するのはいいのですが、同時に歴史の専門用語（テクニカルターム）を英語で知っておくことも必要なことだと思います。

文明発祥に必須な条件とは？

何をもって文明と言うのか、いわゆる文明の定義には、いろいろな意見があると思いますが、よく言われるものの一つに「文字の発明と使用」があります。

先ほどの四大文明でも、メソポタミアでは楔形《くさびがた》文字、古代エジプトではヒエログリフ、インダス文明ではインダス文字、そして黄河文明では漢字のもととなった甲骨《こうこつ》文字が、それぞれ発明・使用されています。

でも日本は、大陸から漢字が伝来するまで文字を持たなかったためか、太古の歴史区分に土器の名称が用いられているためか、日本人は文明の発祥と聞くと土器の使用を思い出します。

もし文明と土器がそれほど密接に結びついているのなら、世界最古の土器が出土したところが世界最古の文明が生まれた場所だということになります。

では、その世界最古の土器が出土した場所とはどこなのか。
実は日本が、その一つなのです。

現在、世界最古と考えられる土器の一つが、青森県大平山元（おおだいやまもと）遺跡の縄文土器だ。放射性炭素年代から推定すると、約1万6千年前。これらのことから、多くの研究者は、遅くとも1万5千年前には、日本列島で土器が使われていたと考えている。

ところが、他地域の最古の土器をみると、南アジア、西アジア、アフリカが約9千年前、ヨーロッパが約8500年前――。学校で習ったいわゆる「四大文明」の故地と比較しても、日本は飛び抜けて古い。

（二〇〇九年十月三日『朝日新聞DIGITAL』「日本の土器、世界最古なの？」〈宮代栄一〉）

四大文明より古い時代から日本では土器が使用されていました。しかし、四大文明以前の日本に、それに匹敵するような高度な文明は生まれていません。

なぜ、日本では高度な文明が生まれなかったのでしょう。

それは、文明の発祥に必要不可欠なある条件が日本にはなかったからです。文明発祥に必須なもの、それは「乾燥化」です。

事実、四大文明など文明が発祥したとき、世界では大規模な乾燥化が進んでいました。

これはとても重要なことなのですが、あまり指摘されていません。だから、なぜ前五〇〇〇年から前三〇〇〇年にかけて各地で文明が発生したのか、という問いにはっきりと答えられないのです。

実際、社会人向けに書かれた世界史の教科書『もういちど読む山川世界史』（「世界の歴史」編集委員会編・山川出版社）には、なぜ文明がこの時期に生まれたのかについては、ほとんど書かれていません。

文明の諸中心
前3000〜前2700年ころ、農耕文化は、ティグリス川・ユーフラテス川流域に多くの都市国家をうみだし、ナイル川流域でも前3000年ころ統一国家がうまれた。このオリエントの文明は東西に伝わり、西方ではエーゲ文明の発生をうながし、東方インドでも前2300年ころインダス川流域に青銅器をもつ都市国家が成立した。
また、中国大陸北部の黄河流域の黄土地帯でも、前5千年紀（前5000〜前4001）に磨製石斧と彩文土器（彩陶）を特色とする農耕文化がおこった。

なぜ明記されていないのかわかりませんが、現在、学者のあいだでは、文明の発祥に乾燥化が深く関わっていることは、ほぼ認知されています。

事実、前五〇〇〇年頃から、アフリカの北部から中東、ゴビ砂漠を通って、中国に至るラインで、乾燥化が始まっています。

アフリカ北部に広がる広大なサハラ砂漠は、地球環境の変化に伴い、何度も湿潤と乾燥を繰り返してきた地域です。現在は広大な砂漠ですが、現在にいたる砂漠化が始まったのは前五〇〇〇年頃と考えられています。それ以前のサハラは緑に覆《おお》われていたことから「グリーンサハラ」と言われています。

サハラに今も残るタッシリ・ナジェールの洞窟壁画を見ると、当時、湿潤な気

■タッシリ・ナジェールの洞窟壁画

ダンスに興じる古代人や、牛や羊の群れ、キリンの姿などがあり、サハラ砂漠が砂漠になる以前の土地の様子が描かれている。

候風土の中で人々が生活していた様子をうかがい知ることができます。今でこそ、あんな砂漠でどうやって生活していたのかと思いますが、当時は水も動植物も豊かなグリーンサハラの時代だったのです。

こうしてアフリカや中東の乾燥化が進んでいったことで、そこに住んでいた人々が水を求め、大きな川や水の畔に集まっていきました。それがアフリカの場合はナイル川の畔であり、中東の場合はティグリス・ユーフラテス川の畔であり、インドの場合はインダス川の畔であり、中国では黄河や揚子江《ようすこう》といった大きな川の畔だったのです。いろいろな水の畔に人が集まってくるわけですが、その中でも特に立地条件のいいところに人は集中していきます。その条件のいい場所というのが、ティグリス・ユーフラテス川の畔やナイル川の畔だったということです。

乾燥化と、それに伴う人々の水辺への集中が、なぜ文明発祥につながるのかというと、少ない水資源をどのようにして活用するか、ということに知恵を絞るからです。

つまり、環境的に恵《めぐ》まれなくなったから文明が生まれた、と言っても過言ではないのです。

まず、人の生存に欠かすことのできない「水」が非常に大きなファクターとなり、人口が一カ所に集中することで、それまで小さな村ぐらいでしかなかった集落が都市的な規模になる。その結果、水争いを防ぐための水活用システムが生まれ、そうしたことを記録する必要から文字が生まれたのです。

実際、古代の記録は、取引記録など実務的なものが多く見られます。文字は必要だから生まれてきたのですから、なぜ必要になったのか、ということを追究するには、何が記録されているのかを見るのが一番です。
どの地域でも、どの時代でも、歴史を知るための共通項は、「なぜ」を追究していくところにあるのだと思います。

なぜ文明が生まれたのか。
なぜ文明は都市と結びついているのか。
なぜ都市は生まれたのか。
なぜ人々は一カ所に集まったのか。

こうして「なぜ」を追究していったとき、文明発祥に至る一連の流れの大本《おおもと》にあるのは、「乾燥化」だということです。

恵まれた環境に文明は生じない

乾燥化が文明発祥の大本にあったということがわかれば、なぜいち早く土器を生み出した日本が、なかなか「文明」と言える段階に至らなかったのかが見えてきます。

それは、日本では乾燥化が起きなかったからです。

大きな文明が生まれたところというのは、大河があるものの、その周りは乾燥化が進んでいます。

しかし、日本は島国であるにもかかわらず、水がとても豊かです。自然環境に恵まれ、乾燥化が起こらなかった日本では、人口の集中も起きず、少人数の集落で安定した社会が長く営まれていたと考えられます。実際、縄文時代は一万年もの長きにわたっています。

日本がなかなか「文明」という段階に至らなかったのは、水が豊かすぎて水活用システムをつくる必要がなかったから、そして、人口の集中が起きなかったからだと考えられます。

稲作が伝わったときも、日本では灌漑《かんがい》にさほど苦労しませんでした。何しろ、そこら辺を流れている川から、ちょっと水を引っ張れば、それで済んでしまうのです。

今でもそうですが、日本の悩みは、むしろ水が豊かすぎることです。水が豊かだということは、それだけ湿度が高いということでもあります。湿度が高すぎる環境は、物が腐りやすくなったり、カビが繁殖しやすくなったりと、実はとても厄介《やっかい》なものなのです。

ですから古代の日本では、収穫した作物を保存するために、高床式の倉庫をつくるなど湿気対策にさまざまな工夫がなされました。作物の保存だけではありません。奈良時代の宝物庫として知られる正倉院《しょうそういん》は、校倉造《あぜくらづくり》と呼ばれる特殊な形式の建物ですが、これも宝物を湿気から守るための工夫だったと言われています。日本は水に恵まれていたがゆえに、なかなか「文明」に至りませんでした。

では、新大陸（アメリカ大陸）では、なぜ文明が発達しなかったのでしょう。アメリカ大陸では、四大文明ほどではありませんが、日本よりもはるかに早い前一千年紀に南米を中心とした文明「メソアメリカ文明」が生まれています。アメリカ大陸で文明が発達しなかった理由については、序章で「馬が絶滅していたからだ」という話をしました。馬が存在しなかったことで、アメリカ大陸では物・人・情報の広がりと、その速度が緩《ゆる》やかにしか進みませんでした。物や人、情報の交流が少ないと、文化、つまり自然風土に拘束される度合いがどうしても高くなります。

つまり、文化はあっても、そこから文明へ移行する速度が遅くなるということです。

文化は、さまざまな交流・交易の中で、自然風土の拘束というものが少しずつ排除され、普遍性を持った文明に昇華《しょうか》していくのです。そういう意味で、馬が存在しなかったことが、文化の拘束性を強めたことは否《いな》めません。

私は『馬の世界史』という著書のプロローグで、「もし馬がいなかったら、二一世紀はまだ古代だった」とスローガンを挙げました。

もし馬がいなかったならば、二一世紀もまだ古代にすぎなかったのではないだろうか。

人々の意識に流れる時間はゆったりとしており、遠方の地の知識もかすんではっきりしない。すみやかにことを実行するにこしたことはないが、性急に事を運ぶ人間は疎んじられるにちがいない。彼方の出来事などにも、わが身にしみて感じられることではない。古代とは、そんな緩慢と茫漠があたりまえのような世界だった。もし馬が地上に存在しなかったなら、古代という時代が、ひたすらつづいていただろう。

（『馬の世界史』中公文庫）

馬がいなければ、世界は明らかに違っていたでしょう。速度という観念も違えば、馬力という観念もない。馬が存在していなかったら、紀元後の二千年間ぐらいも古代が続いていたことだって、本当にあり得るのです。先ほども言いましたが、日本の縄文時代は、前一万三〇〇〇年頃から前四世紀ぐらいまで続いているので、一万年以上も続いているのです。

ただ、ここで私たちが疑問を持たなければならないのは、今われわれが思っている「文明」というものが、ヨーロッパ的な価値観に限定されているのではないか、ということです。

確かに、ヨーロッパ人が入っていった当時のアメリカ大陸には、ヨーロッパ的な価値観に基づく文明はありませんでした。

これはあくまでも私の感覚ですが、当時のアメリカ大陸の文明度は、恐らくエジプトの古王国時代の初期（前二五〇〇年頃）、まだピラミッドをつくることができない段階、メソポタミアで言えば、紀元前三〇〇〇年～前二八〇〇年頃のものと同程度のものだったのではないかと思います。

しかし、これはあくまでもヨーロッパ的な価値観に基づく文明度であって、彼らは彼らなりに、非常に安定した生活文化を持っていたことはやはり認めるべきだと思うのです。

なにもかもすべてヨーロッパ的なものが「発展したもの」だと考えないほうがいいのではないか、ということです。

実際、今の社会を見たとき、文明がここまで進んだことがいいことなのかどうかと疑問を感じる人が増えてきています。文明が進むことが本当にいいことなのかというと、一概にいいとは言い切れないのではないか、ということです。

まあ、今の文明の是非はともかく、そのときどきに安定した生活文化を営んでいる社会を、外の価値観で一概に判断することは慎んだほうがいい、という視点は持っておくべきだと思います。

ローマ人と日本人が持つ特異で稀な能力とは？

文明の発祥と都市は、切り離せない関係にあります。なぜなら、人間がある程度一カ所に集中して生活をしないと、文明は発達していかないものだからです。

ここで問題になるのは、文明の発達にはどの程度の集団が必要なのか、ということでしょう。

二〇～三〇人規模の「集落」というような段階では、文明の発達は難しいでしょう。文明が発達するには、社会の中である程度の分業化が進むことが必要であり、分業化するためには多くの人口が必要だからです。

人口が増え、社会の中で分業化が進むと、それぞれの職業で合理性というものが追求されるようになっていきます。何か一つのことに特化することでその能力が伸び、利便性があがり、より効率がよくなっていきます。

そうした社会で次に生じるのが、階級差です。人間というのは、集団になると、その中からのしあがっていこうという気持ちが生まれます。そして、そのために努力をするようになり、格差が生まれ、格差はやがて階級へと発展していきます。

小さな部族社会では、多少の格差は生まれても、階級というところまではいきません。むしろ小さな部族社会の中では、のしあがっていこうとするヤツをつぶそうとする働きも生じるのではないかと思います。

また、人口が多くなると、大人数を一つにまとめるために、特殊な能力なり力を持った人間が必要になります。つまり、格差が生まれるとともに、大衆に指導者を求める気持ちが生じることで、階級というものができてくるのです。

ですから階級というものも、文明同様、都市の産物だと言えるのです。

文明は、一度発達し始めると、なかなか一定段階にとどまっていられない性質があります。今あるものを工夫して、どんどん新しいものが生み出されていくわけですが、そのときより創意工夫をして、いいものをつくりだした者が最終的に勝利することになります。

序章で述べたように、このソフィスティケートしていくことが得意なのが、実はローマ人と日本人です。

ローマについて語るとき、なぜローマは西洋世界の覇者になれたのか、というのは一つの大きなテーマです。そして、これにはさまざまな側面があるのですが、ローマ人のソフィスティケート能力の高さも、その一因と言えると私は思っています。

よく日本人はオリジナリティがないと言われます。確かにそうかもしれませんが、人が発明したものを磨いて、よりよいものをつくりだす能力には目を見張るものがあります。

実は、ローマ人もそうなのです。ローマ人も、オリジナリティは低いのです。実際、ローマの技術も、最初はギリシア人やエトルリア人の真似《まね》から始まっています。

序章で述べたように、土木建築などまさにその典型で、コロッセオやローマの水道橋に用いられているアーチ工法を最初につくったのはエトルリア人でした。

ローマが誇る道路も水道も、もともとはギリシアにあったものを真似たものです。

ただし、ローマ人はエトルリアやギリシアにあったものを、ただコピーしたわけではありません。

どうしたらよりよいものができるのか、すでにあるものに創意工夫を加え、オリジナルより優れたものをつくりだす能力にローマ人は長けていたのです。

ローマ人の技術がどれほど優れたものであったかは、有名なトレヴィの泉を見ただけでもわかります。なぜなら、あそこに流れる豊かな水は、ローマ皇帝アウグストゥス（在位前二七〜後一四）の時代に完成したヴィルゴ水道が運んでいるものだからです。

イタリアは日本と比べると、はるかに水が少ない国です。にもかかわらず、ローマは常に水が豊かで不自由することがありません。これはひとえに一一本あるローマ水道の多くが、修復されながら、建設から二千年以上経った今も水を供給するのに一役かっていることもあります。

■円形闘技場のコロッセオ

外観は美しいアーチ型が並ぶ４階建てで、１階はドーリア式、２階はイオニア式、３階はコリント式と様式の違うアーチで飾られている。

■ローマの水道橋

フランス南部にある水道橋ポン・デュ・ガール。アウグストゥス帝の腹心アグリッパの命で架けられたと考えられている。

ソフィスティケートの真髄は「誠実さ」にある

　ここでとても大切なことは、ソフィスティケートする能力の真髄は、「ごまかさない」能力、つまり、正直さとか誠実さに根ざした能力だということです。こうしたことは、歴史書では見過ごされがちなポイントなのですが、実はとても大切なことです。

　創意工夫とは、洗練したものをつくるということなのですが、それは単に便利だとか、見てくれをよくするということではありません。

　その基本にあるのは、「ごまかしてはいけない」という強い思いです。それがなければ、長い歴史の中で生き残ることはできないからです。

　日本では今、政治の金に関する扱いをはじめ、自動車メーカーのデータ不正といった、いろいろな不正が明らかになり、国民として落胆するニュースが相次いでいますが、それは日本がこの「ごまかさない」という一番大切なことを忘れて、単に儲ければいいというところに走ってしまった結果ではないかと思っています。

本来、日本は、誠実さにおいては、高い民度を誇っていただけに、とても残念です。

日本人が本来、どれほど誠実な民族だったかを伝える、次のようなエピソードがあります。

これは、明治時代に日本に来たイタリア人彫刻家ヴィンチェンツォ・ラグーザ（一八四一〜一九二七）のエピソードです。

明治時代、仕事で日本に来た彼は、ある日、魚屋で美味しそうな魚を見つけ、売ってくれと言います。ところが、魚屋の主人は、「この魚はおまえさんには売れない」と断ります。お金ならある、一両出すから売ってくれと言っても、魚屋は首を縦に振りません。当時の一両は大金です。

そのときは理由がわからず魚屋の態度に憤慨しますが、後で、彼はその理由を知って感動します。

実は彼が買おうとしていた魚は、フグだったのです。ご存じの通り、フグには毒があります。つまり、魚屋は「毒がある魚を、きちんとさばけるかどうかわからない素人《しろうと》に売るわけにはいかない」というので、売ることを拒《こば》んだのでした。

魚屋の誠実さに感動した彼でしたが、その後、さらに驚くことを経験します。

それは彼がうっかり財布を落としてしまったときです。諦《あきら》めていた彼のもとに、財布が無事戻ってきたのです。落とした財布が無事に戻ってくるなんて、イタリアでは考えられないことでした。

ちなみに、日本人の正直さ、誠実さに深く感銘した彼は、その後、日本の女性と結婚しています。

また、こんな話もあります。

これは中国の思想家、魯迅《ろじん》（一八八一～一九三六）が、日本に留学していたときに指摘したことです。魯迅が日本に留学したのは一九〇二年からの八年間。当時、大国意識を持っていた中国は、日清戦争で日本に敗れたことを恥辱《ちじょく》として反日感情を高めていました。そんな中で魯迅は、同胞たちに、次のようなメッセージを送っているのです。

「どんなことで日本人の悪口を言ってもいい。ただし、一つだけ、中国人は日本人の誠実さだけは学ばなければならない」

それほど日本人は、誠実だったということです。

今も、中国の対日感情はいいと言えるものではありませんが、それでも中国人たちは大挙して日本に来ては日本の製品を爆買《ばくが》いした時期が続きました。なぜ中国人が嫌いなはずの日本で爆買いをするのかというと、日本人がつくって売っているもののほうが、国産品よりはるかに信用できるからです。

世界のお国柄を表す「紫のバラ」に関するジョークがあります。

ひと昔前は開発不可能とされた紫のバラ。そのバラをつくるために、ドイツ人は論理的に考えて大論文を書く。日本人は、とにかくいろいろな品種を実際に掛け合わせてみる。そして、中国人は、手っ取り早くバラに紫のペンキを塗る。口が悪いかもしれませんが、「なるほど」とうならせるジョークだと、私は思います。

事実、世界で高い評価を受けている日本の果物の品種改良は、どのようにして行われているかというと、膨大な時間と手間をかけて、さまざまな掛け合わせを地道に繰り返す中で、たまたま起きた突然変異したものを大事に育てているのです。

そしてこれは、私の趣味でもある競馬の世界も同じです。

日本のサラブレッド（競走馬）が世界の大レースで勝てるまでになったのは、まあ、サンデーサイレンスという名種牡馬《しゅぼば》がアメリカから来たということが大きな転機になってはいるのですが、やはりそこから世界レベルの馬をコンスタントに生み出すようになったのは、血統の地道な掛け合わせとホースマンの努力の賜《たまもの》です。

日本人はあまりそういうイメージを持っていないかもしれませんが、ローマ人もとても正直な人たちでした。

たとえば、これはよく言われる歴史の「もしも」ですが、『三国志』で知られる蜀《しょく》の軍師、諸葛孔明《しょかつこうめい》とカエサルがもしも戦ったら――。実はこれ、最初はカエサルが負けると、私は思っています。その理由というのが、ローマ人というのは、割と正攻法でいくからです。もちろんローマ軍もいろいろな騙《だま》しのテクニックを使うことはあるのですが、高《たか》が知れています。というのは、彼らは、正攻法で勝つことに価値を見いだすところがあるからです。

多少ひいき目かもしれませんが、日本人にも、謀略《ぼうりゃく》は卑怯《ひきょう》で、正々堂々と勝負することこそが武士の誉《ほま》れ、という美学があります。

こうしたことから、ソフィスティケートしていく能力を支えるのは、やはり正直さや誠実さなのだと思います。

事実、なんだかんだと言っても、結局は、より質のいいものが勝つことは、長い歴史が証明しています。歴史に学び、日本人は本来の誠実さを、今一度取り戻す努力をしてほしいと思います。

都市国家はどのように誕生したのか

文明は都市で生まれ、やがて都市は「国家」へと成長します。都市国家の誕生です。

都市国家というと、多くの人が最初に思い出すのはギリシアだと思いますが、実はメソポタミアのほうが、はるかに早い時期に都市国家が成立しています。

メソポタミアに都市国家と言えるものができたのは、シュメールの段階ですから、前四千年紀です。その後メソポタミア地域では、シュメールのほかにもアッカド王国やバビロニア王国などが生まれますが、それらの中核には数多くの都市国家が誕生しています。文明が生まれてから、最初の千年ぐらいのあいだは、各地で都市、または都市国家という規模で発達していたのです。

ですから、都市国家というとギリシアの代名詞のようになっていますが、これはなにもギリシアで始まったものではないのです。

ギリシアが都市国家の代名詞になっているのは、「都市国家＝ポリス」と思われているからです。確かに「ポリス」という言葉は都市国家という意味ですが、ここで大事なことは、同じ都市国家といっても、ギリシアの「ポリス」とメソポタミアの都市国家では成立の過程が違うということです。

メソポタミアの場合は、自然発生的に都市が生まれました。つまり乾燥化が原因で水の畔に人々が集まり、灌漑の必要が生まれたことによって、その灌漑を取り仕切るために力の強い実力者たちが王となり、集団の中に階層分化が生じ、そこから王を中心とした都市が出来あがっていった。これがメソポタミアの都市国家成立の過程です。

これに対しギリシアの場合は、前二千年紀、つまりトロイア戦争の時代は、ミケーネ王国など都市ではなく、そのほとんどが「王国」でした。これは、ギリシア人が最初に来た頃に都市をつくったのではなく、力の強い人たちが王宮をつくり、その周りにいくつもの農村があるような形で王国が形成されたからです。

その時代の王は、線文字Bという古い時代のギリシア語で「ヴァナカ」と記されています。そして、周囲の村落のリーダーたちのことを「クァシレウ」と言いました。つまり、ギリシアでは最初に王国が生まれ、その段階では、トップに王宮を営むヴァナカが存在し、その周囲の村落にクァシレウというリーダーがいたということです。

当時のヴァナカの宮殿がどのようなものだったかというと、クレタ島に残るクノッソス宮殿を思い出していただければいいと思います。あれは、ヴァナカの宮殿です。

クノッソス宮殿には一〇〇〇以上の部屋があり、その広さと複雑なつくりから、一度迷い込んだら二度と出てこられないという、ミノタウロスの迷宮伝説が残っているほど広大なものです。

そういう立派な王宮の周囲に、複数の村落が散りばめられていた。これがギリシアのスタートの形です。

では、そうした王国の状態から、どのようにしてポリス（都市国家）が生まれたのでしょう。

きっかけは、前十二世紀頃に、東地中海一帯で勢力を伸ばしていた海の遊牧民「海の民」によって王宮が破壊されたことでした。

相手が陸上を拠点としていれば、まだ馬に乗って追いかけたりして対抗することもできたのかもしれませんが、海の民は馬ではなく船を操《あやつ》る遊牧民なので、対抗することが非常に難しかったのでしょう。結局、この時期に、東地中海を取り巻く王国は、もうほとんどすべてと言っても過言ではないほどに破壊しつくされてしまいます。ミケーネ王国やトロイア王国が滅んだのもこのときです。

その後、三百～四百年にわたって、東地中海世界は、暗黒時代とか英雄時代と言われる時代が続きます。英雄時代というと華々しく聞こえますが、実際には王と言える強大な力を持った人々がいなくなり、小さな部族や村落のリーダーが群《ぐん》雄割拠《ゆうかっきょ》していた時代ということです。

しかし、そうした状態が続くうちに、だんだんとまとまる動きが出てきます。

■クノッソス宮殿遺跡内部の柱廊

ギリシアのクレタ島にある宮殿遺跡。伝説の王ミノスの居城とされ、ギリシア神話の怪物ミノタウロスにまつわる伝説の舞台となった迷宮は、このクノッソス宮殿と考えられている。

といっても、すぐではありません。三百〜四百年後に、その動きが出てくるのですが、これをギリシア語で「シノイキスモス」と言います。

世界史の教科書にはだいたい書かれているので、言葉だけは聞き覚えがあるという方も多いと思います。「シノイキスモス」は、日本語では「集住」と訳されますが、いくつかある集落の中で一番立地条件のいいところに多くの人々が集まってくることを意味します。最初のポリスは、こうしたシノイキスモス運動から興るのです。

ギリシアでは、このようにして「ポリス」が誕生しました。この流れは言葉にも痕跡を残しており、古典期のギリシア語では、王のことを「バシレウス」というのですが、これは先ほどの村落のリーダーを意味する「クァシレウ」から来ています。

つまり、かつての王であったヴァナカは忘れさられ、各部族のリーダー、あるいは豪族といった実力者たちが新たな権力者となっていったということです。

こうした背景があるので、ポリスのバシレウスは、かつてのヴァナカのように人々の上に君臨する王と違い、民衆と非常に距離の近い、民衆と密着した形の王でした。

このように同じ都市国家と言われるものでも、シュメールやアッカドの都市国家とギリシアのポリスとでは成立の背景が大きく異なります。

そして、こうした違いは、後の王と民衆の関係の違いに反映されていくことになるのです。

古代ギリシアの民主政は、戦争を機に生まれた

ポリスのリーダーが民衆と非常に近い関係であったこと。これが、ギリシアのポリスで世界初の民主政が生まれた要因になったと考えられます。

メソポタミアやエジプトの王は、民衆の上に君臨する絶対君主的存在ですが、時代的には多少隔《へだ》たりはあるものの、ギリシアの場合は、リーダーと民衆のあいだが非常に近いものでした。そのため、次第に民衆の力のほうが強くなっていくという形で、「民主政ポリス」が誕生していくからです。

このように言うと、すべてのポリスで民主政が行われていたかのように思うかもしれませんが、ギリシア世界の民主政は、あくまでもアテネ（古代名・アテナイ）を中心とした限定的なもので、ギリシア世界全体で見た場合、「ポリス＝民主政」と言えるところまではいっていません。

アテネでは非常に民衆がまとまっていたのですが、ほかのポリスではあまり進まず、王ではなく「タイラント」、つまり貴族・平民の抗争を利用して非合法手

段で独裁政を樹立した僭主《せんしゅ》が権力を握ることがほとんどでした。

ですから、ギリシアで民主政が生まれたことは事実ですが、厳密に言うとギリシア全体ではなく、アテネなどのごく一部でしか行われていなかったのです。

しかも、民主政の中心であったアテネも、国力が充実しはじめたのは、民主政のときではなく、それ以前のペイシストラトス（生年不詳～前五二七）という僭主が治めていた時代でした。

僭主というと、独裁者的なイメージがあるかもしれませんが、ペイシストラトスという人は非常に有能で、彼が富国強兵に努めたからこそアテネはギリシア随一の豊かな国に上り詰めることができたのです。

しかし、残念なことに、彼の後を継いだ息子たちはろくでもないヤツでした。そのため民衆の心が離れ、最終的にはクレイステネス（前六世紀後半）という人物が行った改革によって、アテネは民主政の形を整えることになるのです。

ここであえて「民主政の形」と言ったのは、やはり民主政というのは、担い手たちが、ある一定の意識を持って行動しないと実際には機能しないからです。

当時の国防は、今のように国の軍隊というものがあるわけではありませんから、必要に応じて武装した市民が担うことになっていました。しかし、武装すると言っても、その費用はすべて自前です。これはなにもギリシアに限ったことではなく、ほかの都市国家やローマでも基本的には同じです。

つまり、自前で武装した市民による軍団が国防を担うということは、軍団に参加するためには、ある程度以上の財産が必要だということです。

当然のことながら、都市では貧富の差があるので、同じ市民でも貧しい人々は軍団に参加することができませんでした。

そのため、軍団に加わっているということが一つのステイタスとなり、国家の運営に口出しできる条件となっていたのです。

そんなアテネで民主政が進んだきっかけは、ペルシア戦争の末期に行われたサラミスの海戦（前四八〇年）でした。このとき、アテネでは成年男子が総動員されることになり、財産のない下層民も、船の漕《こ》ぎ手として戦闘に参加しました。これによってアテネの全市民が戦争に参加することになったのです。

つまり、クレイステネスの改革の時点で、民主政は制度的には出来あがっていたのですが、国民一人ひとりはまだ、自分たちが国政に参加するんだという自覚も自信もない状態だったのが、サラミスの海戦で実際に戦闘に参加することによって、自分たちも戦争に参加したのだから国政に口を出してもいいのではないか、と自覚を深めていったということなのです。

クレイステネスの改革によって形式的な民主政ができ、サラミスの海戦で、下層民が戦争に直接参加したことを機に、彼らの発言力が増していったこと――この二つがセットになって、いわゆる「ペリクレス時代」が訪れることになるのです。

アテネの民主政の全盛期と謳《うた》われるペリクレス時代。そのペリクレス（前四九五頃～前四二九）の言葉が伝えられています。

われらの政体は他国の制度を追従するものではない。ひとの理想を追うのではなく、ひとをしてわが範を習わしめるものである。その名は、少数者の独占を排し多数者の公平を守ることを旨として、民主政治と呼ばれる。わが国においては、個人間に紛争が生ずれば、法律の定めによってすべての人に平等な発言が認められる。だが一個人が才能の秀でていることが世にわかれば、無差別なる平等の理を排し世人の認めるその人の能力に応じて、公けの高い地位を授けられる。またたとえ貧窮に身を起そうとも、ポリスに益をなす力をもつ人ならば、貧しさゆえに道をとざされることはない。われらはあくまでも自由に公けにつくす道をもち、また日々互いに猜疑の眼を恐れることなく自由な生活を享受している。よし隣人が己れの楽しみを求めても、これを怒ったり、あるいは実害なしとはいえ不快を催すような冷視を浴せることはない。私の生活においてわれらは互いに制肘を加えることはしない、だが事公けに関するときは、法を犯す振舞いを深く恥じおそれる。時の政治をあずかる者に従い、法を敬い、とくに、侵された者を救う掟と、万人に廉恥の心を呼びさます不文の掟とを、厚く

■ペリクレス

ペルシア戦争後、アテネの民主政を完成させた政治家。

尊ぶことを忘れない。（『戦史』上　トゥーキュディデース著・久保正彰訳・岩波文庫）

しかし、こうして高い志を掲げたアテネの民主政も、その後、マケドニアのアレクサンドロス大王（前三五六～前三二三）が勢力を伸ばしてくると、すぐにつぶされてしまいます。ですから、古代ギリシアの直接民主政は、実際には、せいぜい百～百五十年ほどしか行われていないのです。

古代ギリシアの中でもアテネは圧倒的に多くの史料が残っているので、どうしてもギリシアと言うとアテネ、アテネと言えば民主政、ということになりがちなのですが、ギリシア全体を見ると、民主政よりもむしろ僭主政のほうがずっと長く続いていたのです。

ところで、文明が都市とともに生まれ、その都市が都市国家という形をとったのは、なにもオリエントや地中海世界ばかりではなかったようです。南アジアや東アジアでも広く見られることで、むしろ文明史の初期の段階では普通だったのかもしれません。でも、なぜそれがギリシアにおいて、まがりなりにも民主政という稀有《けう》な形をとるようになったかは、世界史を考えるうえで、きわめて重要なことだと思います。

前述したように、バシレウスは王というより豪族のようなリーダーであり、平民との格差も小さかったこともあります。そこに散在していた村落（デーモス）が集住して都市国家（ポリス）を形成するわけです。そこには家柄や資産が幅をきかす余地が小さかったところがあります。そのせいで人々は競って自分の能力や資質を示すようになります。その典型がオリンピア祭典競技であり、肉体の能力を競ったのです。それは前八世紀には始まっています。

また、知的な領域でも、ギリシア人は早くから世界や宇宙の成り立ちを根源にさかのぼって考えるようになります。自然科学が生まれたため、自分の意見を論理的に説明しなければなりません。そのようにして思考の競い合いも繰り返されていくのです。

肉体でも思考でも競合して切磋琢磨《せっさたくま》することで、ギリシア人の世界にはより優れたものを実現しようとする雰囲気がただよっていたのではないでしょうか。そして、また競い合うことが当たり前になると、何事も人任せにしてはいられません。だから、誰もが国政に参加し発言できるような民主政のシステムが生まれたのです。このギリシア人に特有な都市国家のあり方こそポリスと呼ばれるものであり、これこそ世界史上の奇跡と呼んでも言い過ぎではありません。

ただ、もう少し掘り下げてみると、このような民主政が生まれるのも、適正規模な人口だったからという指摘もできます。

アテネはギリシア第一のポリスでしたが、最大規模でも三〇万人ほどでした。このうち政治的な発言権のある成人男性市民は、ぜいぜい四万人ぐらいだったでしょう。そうすると、民主政がそれなりに機能するには数万人ぐらいが適正ということになります。それ以下では競合の切磋琢磨が生まれにくいし、それ以上では混乱の阿鼻叫喚《あびきょうかん》になりそうだというわけです。

こうして農耕や風土が生み出す文化は相互に交わりながら、誰にでも理解しやすい文明が発展しました。それは都市国家という形で世界各地に広く現れたのですが、ギリシア人のポリスにおいてだけ民主政をともなっていました。その伝統は、いろいろ紆余曲折《うよきょくせつ》はありますが、現代人の政治意識の中にもっとも強く根づいているのです。

第2章

ローマとの比較で見えてくる世界

ローマはなぜ興隆し、そして滅びたのか

オバマ大統領と皇帝セプティミウス・セウェルスの共通点

「ローマの歴史の中には、人類の経験のすべてが詰まっている」

そう語ったのは、政治思想史学者の丸山眞男氏でした。

これはローマの歴史が、興隆、発展、安定、衰退という、いわゆる文明の起承転結の過程が非常にはっきりしているからだと思います。

しかも、その起承転結は、人の一生になぞらえられるほどドラマチックなのです。長大な『ローマ人の物語』で名高い作家の塩野七生《しおのななみ》さんは「ローマ史は世界史のブランド品」と語っています。

でも、それだけではありません。ローマ史は、個別のテーマごとに見ても、非常に変化に富んでいてとても面白いのです。

皇帝ひとつ見ても、五賢帝のような立派な皇帝がいるかと思えば、暴君の代名詞のようなネロ（在位五四～六八）もいれば、エラガバルス（在位二一八～二二二）のように「私は女になりたいわ」などと言い放つ皇帝がいたりします。このように、本当にいろいろな支配者が登場します。

政治的システムもさまざまです。ローマは、最初は王政、それから共和政になって、その後、独裁政になっていくわけですが、独裁政の中にもいろいろなスタイルがあります。一口にローマ皇帝と言っても、初期の共和政の伝統を守る段階から、専制的になったり、混乱期があったりします。

とにかくローマ史は、どんなテーマで絞り込んでも、実にバラエティ豊かなものを見せてくれるのです。それはまさに「人類の経験のすべて」と言っても過言ではない豊かさです。だからこそ、ローマ史とさまざまな地域のさまざまな時代の歴史を比べると、非常に面白いことが見えてくるのです。

たとえば、アメリカで初のアフリカ系大統領バラク・オバマが就任したのは二〇〇九年。アメリカの初代大統領ジョージ・ワシントンの就任（一七八九年）から数えて二百二十年目のことでした。

アメリカでは、建国以来「ＷＡＳＰ（White Anglo-Saxon Protestant／ホワイト・アングロサクソン・プロテスタントの略）」が国家の中枢を占める時代が長く続いていました。

最初にこの「縛り」を破ったのは、カトリック信者のジョン・F・ケネディ（第三五代大統領／任期一九六一〜一九六三）でした。それでも彼は白人です。しかしオバマは、ハワイ州出身のアフリカ系アメリカ人ですから、明らかに今までとは異なる大統領です。

オバマが大統領に決まったとき、歴史的快挙だと多くの人が言いましたが、実はこれと同じようなことは、すでにローマ史の中で起きているのです。

それは、皇帝セプティミウス・セウェルス（在位一九三〜二一一）の登場です。セウェルス朝を創始したセプティミウス・セウェルスは、ローマの属州アフリカ、現在のリビアにあたるレプティス・マグナというところの出身ですから、セム系です。しかし、それまでのローマ皇帝は、すべてインド・ヨーロッパ系なのです。つまり、ローマ貴族たちにとって、セプティミウス・セウェルスは、明らかに初の異民族皇帝だったのです。

そして、何よりも面白いのが、セプティミウス・セウェルスが帝位に就《つ》いたのが、初代ローマ皇帝アウグストゥスが帝位に就いた前二七年から数えて、二百二十年目のことだったということです。

つまり、ローマとアメリカを比べてみることで、どちらも初代から異民族出身の為政者が登場するまで二百二十年という、ほぼ同じサイクルで歴史が動いていることが見えてくる、というわけです。

ハード・パワーの衰退とソフト・パワーの繁栄

日本では、よく「欧米」と言って、ヨーロッパとアメリカをひとくくりのものとして考えますが、実際には両者の関係は微妙です。アメリカは非常に強大な軍事力と経済力を持っており、ヨーロッパは、そのことに対し、内心「面白くない」という意識を抱いています。

なぜ面白くないのかというと、「アメリカなんて軍事力と経済力では勝《まさ》っているかもしれないが、所詮《しょせん》は歴史の浅い新興国じゃないか。文化の成熟度では俺たちヨーロッパのほうが上だ」と思っているからです。

そうした両者の関係を極端に表しているのが、第一次世界大戦下でフランスの首相を務めたジョルジュ・クレマンソー（一八四一〜一九二九）の発言です。

当時アメリカは、まさに上り調子、そんなときにクレマンソーは「アメリカは、文明という通常の中間期を経ずに、奇跡のごとく野蛮からいきなり退廃へと向かった史上唯一の国家である」と皮肉を言っています。

実は同じようなことは、フランスの第一八代大統領、シャルル・ド・ゴール（一八九〇～一九七〇）も言っています。

彼は作家アンドレ・マルロー（一九〇一～一九七六）にアメリカについて「一つの文明の終末を、それと意識しながら生きるのは奇妙なことだ。ローマの末期以来、こんなことはなかった」と語っています。

このようにヨーロッパでは、たびたび「アメリカ衰退論」とでもいうような発言が繰り返されているのです。

確かにアメリカのハード・パワー（軍事・経済）面に着目すると、ほかにも力をつけてきた国があるので、相対的には低下しているように見えなくもありません。しかし、視点をソフト・パワー（文化・価値）に合わせるとどうでしょう。

アメリカがラッキーだったのは、国の出発点がイギリスの影響下にあったことです。まず、母国語が英語であるということ。加えて教育システムを、当時大国

世界の主要語族の系統分類

インド＝ヨーロッパ語族
［ゲルマン語派］英語・ドイツ語・オランダ語・スウェーデン語・デンマーク語
［イタリック語派］ラテン語・フランス語・スペイン語・ポルトガル語・イタリア語・ルーマニア語
［ケルト語派］アイルランド語・スコットランド＝ゲール語・ウェールズ語・ブルトン語
［ヘレニック語派］古代ギリシア語・現代ギリシア語
［スラヴ語派］ロシア語・ウクライナ語・ベラルーシ語・ポーランド語・チェコ語・スロヴァキア語・セルビア語・クロアティア語・ブルガリア語・マケドニア語
［バルト語派］リトアニア語・ラトヴィア語
［インド＝イラン語派］サンスクリット語・ヒンディー語・ウルドゥー語・アヴェスター語・ソグド語・ペルシア語
［そのほかの語派］ヒッタイト語・アルメニア語・アルバニア語・トカラ語

ウラル語族
ハンガリー語・フィンランド語・エストニア語・モルドヴィン語

アルタイ語族
トルコ語・カザフ語・ウズベク語・ウイグル語・モンゴル語・満州語

アフロ＝アジア語族
［セム語派］アッカド語・バビロニア語・アッシリア語・アラム語・フェニキア語・ヘブライ語・アラビア語
［エジプト語派］古代エジプト語・コプト語
［チャド語派］ハウサ語

※なお、同じ系統の言語を話す人間集団を呼ぶ場合には、「～語系」というあらわし方がよく使われる。

だったイギリスのものを、そのまま引き継ぐことができたこと。

アメリカ一国で見ると、わずか二百五十年足らずの歴史しか持ちませんが、イギリスのものを引き継いだお陰で、教育など文化的な素地のあるところからスタートすることができました。

実際、こうした強みを持ったアメリカのソフト・パワーは、さまざまな分野で世界中に行き渡っています。日本でも馴染みの深い「セサミストリート」や、ハリウッド映画、音楽などもアメリカのものが世界中に浸透しています。

音楽のことを言うと、ロックはビートルズを輩出したイギリスのほうが早いと思われがちですが、その少し前からアメリカではエルヴィス・プレスリーが人気を博していました。むしろ最近は、ビートルズが初期の頃、プレスリーから多大な影響を受けていたことがわかってきて、アメリカのほうが先だったのではないかと言われているのです。

ソフト・パワーは、ハード・パワーのようにはっきりと見えるものではないのでわかりにくいのですが、いつの間にか人の心の中に入り込んで、その人の価値観や意識までも変えてしまうという、ある意味ハード・パワーよりも大きな力を持っているのです。

そしてアメリカは、ヨーロッパがいくら衰退論を声高に叫んだとしても、ソフト・パワーの強大さをもって、やはりヨーロッパよりも大きな力を維持しているのだと思います。

そして、こうした欧米の関係は、ギリシアとローマ帝国の関係に似ています。ローマもハード・パワーの強大さを誇る帝国でしたが、時代を経ると、やはり軍事力に陰りが見えてきます。そうなると帝国を維持するために補強しなければならないわけですが、そこでは今度は国家の財政負担という問題が生じ、それはそれで国家にとって重荷になっていきます。そしてローマもハード・パワーだけを見ると衰退していくわけですが、ここでもソフト・パワーという見えない部分では、周辺世界のローマニゼーションが進むという形でローマは力を広げているのです。

ここでローマのソフト・パワーを知る手がかりとなるのは「ラテン語」です。ラテン語はローマの公用語ですが、ローマの貴族は当初、ギリシア語を使うことをステイタスとしていました。ローマ人にとってギリシアは文化的先進国だったので、その言葉であるギリシア語は、ちょうどわれわれにとっての英語のようなものだったのです。

そのためローマの貴族たちは、自分たちの子供には、小さいときからギリシア語を学ばせています。実際、クインティリアヌス（三五頃～一〇〇頃）というローマの修辞学者は、「乳母にはギリシア語を使う者をつけなさい。ただし、変な方言の者はダメだ。きちんとしたギリシア語を使える者を選びなさい」と貴族たちに言っています。

今でも英会話を習うなら、発音のきれいなネイティブ・スピーカーの先生を選びなさいと言われますが、それと同じです。

それほどローマ人に熱心に学ばれたギリシア語ですが、いつしかその地位はラテン語と逆転します。

アンミアヌス・マルケリヌス（三三〇頃〜三九五頃）というギリシア人は、ネルウァ帝の即位（九六年）からウァレンス帝の戦死（三七八年）までの出来事を『歴史』という書に著《あらわ》しましたが、マルケリヌスがその執筆に用いたのは、母国語であるギリシア語ではなくラテン語でした。これは当時、国際公用語がもはやギリシア語からラテン語に代わっていた、ということを意味しています。

つまり、四世紀のローマ帝国は、ハード・パワーの面では明らかに衰退していたにもかかわらず、ソフト・パワーの面では反対にその力を強めていたのです。

アメリカのハード・パワーの衰退も、こうしたローマの例と比較してみると、大国の真の力というものが、また違って見えてくるのではないでしょうか。

ローマは、なぜ帝国になり得たのか——ギリシアとローマの違い

ローマ史を専門にしていると、必ず聞かれることがあります。それは「ローマは、なぜ帝国になり得たのか」ということです。

このテーマは非常に歴史の長いもので、前二世紀のポリュビオス（前二〇四頃～前一二五頃）がすでに問い掛けています。

古代ギリシアのメガロポリスで生まれたポリュビオスは、人質としてローマに来ました。

彼はローマで、第一次ポエニ戦争から始まる長いローマの歴史を『歴史』という書にまとめました。これは今でもローマ史の第一級史料となっています。

ギリシア人のポリュビオスがローマの歴史を書く大きな動機となったものこそ、地中海世界に一〇〇〇をこすポリスがあるのに、その中で「なぜローマだけがこれだけの強国になり、世界帝国と言える段階までくることができたのか」という疑問でした。

ですから、もちろんポリュビオスはその著書の中で、この問いに対する彼なりの意見を述べています。

意見はいくつかあるのですが、まず一つは、ローマという国の国政システムが、非常にバランスがよかったということです。

そのバランスのよさを理解するためにも、ここでいま一度ギリシアの歴史を簡単に振り返っておきましょう。

ギリシアはまず王政から始まり、その後貴族政になり、貴族政の混乱を経て僭主政、つまり独裁政が出てきます。独裁政については、第1章でも触れたように、必ずしも悪いものではありませんでした。事実、ペイシストラトスのような優れた為政者のもとでは、むしろ国は発展しています。

しかし、ダメなヤツが上に立てば、独裁政じゃなくてもダメになるのは当然の帰結です。ということで、ペイシストラトスの息子の世代になると混乱が起き、クレイステネスの改革によって民主政へと変わっていきます。

民主政においてもリーダーは必要です。ペリクレスのような優れた人がリーダーとなっていたときはよかったのですが、ペリクレスが亡くなり、ペロポネソス戦争（前四三一～前四〇四）の混乱の中で、民主政はモボクラシーへと変質していきます。

モボクラシーは、日本では「衆愚《しゅうぐ》政治」と翻訳されることが多いのですが、これは少々過激な訳で、私は「ポピュリズム（大衆迎合主義）」と言ったほうがいいと思っています。つまり、リーダーが民衆をよい方向に導くことができず、逆に政治家が民衆の勢いに流されてしまう状態、ということです。

この混乱が収拾できないうちに、マケドニアからアレクサンドロス大王が出て、個々のポリスの政体はともかくギリシアはその支配下に置かれることになります。それはいわばアレクサンドロスによる君主政つまり独裁政なので、ギリシアの国政システムは振り出しに戻ってしまったとして、ポリュビオスは「政体循環論」を唱えました。

そんなギリシアに対し、ローマは政体が循環しませんでした。

基本的にローマは独裁を嫌います。しかし、合理性を好むローマ人は、権力がある程度集約されていたほうが、物事が合理的に進むことも知っていました。そこで、コンスル（執政官）に代表される独裁政的な部分を国政システムに組み入れるのですが、本当の独裁政にならないように、コンスルは必ず二人で務めるという制約を設けていました。

さらに、貴族政に相当する元老院（セナートゥス）と、民主政に相当する民会

（コミティア）が同時に国政を担いました。

つまり、独裁政（コンスル）、貴族政（セナートゥス）、民主政（コミティア）という、ギリシアでは一つずつが顕著に現れたものが、ローマでは同時に存在することで見事にバランスを取っていたと、ポリュビオスは考察したのです。

もちろん、だからといってローマがずっと平穏だったわけではありません。権力闘争も度々起きています。それでもギリシア人であるポリュビオスの目から見ると、ギリシアの混乱に比べればはるかに少なく、安定して見えたのです。

国内の争いが少なければ、それだけ外に向けられるエネルギーの量は増えます。つまり、ギリシアは国内紛争でエネルギーを消耗してしまったから大国になれず、国内が安定していたローマは、その分のエネルギーを外に向けることができたので帝国になれた、ということです。

もう一つ、ローマが大国になれた要因としてポリュビオスが指摘したのは、ローマ人の宗教的な誠実さでした。

ポリュビオスの『歴史』には、ローマ貴族の葬礼について述べた文章があるのですが、そこで彼はとても面白い考察をしています。

偉業を成し名を上げた人々の肖像が一堂に並び、まるで生命を吹き込まれたかのような姿を見せているそのありさまを見て、恍惚《こうこつ》としない者がいるだろうか。これに勝る光景がいったいどこにあり得よう。

（『歴史』より）

これは、葬礼の場で、親族が死者そっくりの仮面をつけて現れたのを見たときの驚きを述べたものです。

なぜ彼がこれほどまでに驚き、「これに勝る光景がいったいどこにあり得よう」と言ったのかというと、この光景を目にしたときポリュビオスは、ギリシア人は公よりも個を大切にするが、ローマ人は個よりも公共の安泰を重んじる。なぜ、ローマ人はこれほどまでに公共を重んじることができるのか、という謎の答えに気づいたからなのです。

ポリュビオスは、ローマ人が公共を重んじるのは、若者の頃からこうした感動的な葬儀を経験することで、「たとえ死んだとしても、その英雄的功績はこうして永遠に語り継がれるのだ」という思想的刷り込みが行われているからだ、と考察しています。

ポリュビオスは、こうしたやり方を非難しているわけではありません。それどころか、ローマ人は、ギリシア人には到底かなわない生真面目さと敬虔《けいけん》さを持っていると述べています。

このポリュビオスの考察が決して的外《まとはず》れなものでないことは、ローマの政治家にして、哲学者、弁論家でもあるマルクス・トゥッリウス・キケロ（前一〇六～前四三）の言葉が証明しています。

■キケロ

共和政ローマ末期の政治家、哲学者、弁論家。ラテン語の名文家でもある。

「ローマ人は、ガリア人（ケルト・ゲルマン系）には体格・活力で劣《おと》り、ヒスパニア人（イベリア半島の人々）には人数で負け、エトルリア人には鍛冶《かじ》の技能においヽて負ける。ギリシア人には学芸の力においてかなわない。では、ローマ人は何に優れているのかというと、それは宗教的敬虔さだ」

キケロは、そう言っています。

つまりポリュビオスは、こうしたローマ人の宗教的誠実さが、個より公共を重んじる国民性を生み出し、それがローマを国家としてまとめ上げ、国政システムのバランスのよさが、エネルギーを外に向けることを可能にしたから、ローマは帝国になることができた、と考えたのです。

ローマ史を考察する価値

十八世紀のイギリスの歴史家、エドワード・ギボン（一七三七〜一七九四）は、ローマ史では必ず問われるもう一つのテーマに取り組んだ人です。

それは、あれほど隆盛を誇ったローマ帝国はなぜ滅びたのか、という問いです。そして、彼なりの考察を『ローマ帝国衰亡史』に著しました。

ギボンは『ローマ帝国衰亡史』を五賢帝の時代から書き出しています。五賢帝の時代はローマの黄金期です。ギボンは、頂点を極めた五賢帝から始めることで、なぜローマは帝国になり得たのかということを彼なりに考察した上で、頂点を極めたものは、いずれ衰退していくものなのだ、というスタンスで衰退の側面を考察したのです。

このように、ローマに関する大きな二つのテーマ「なぜ帝国になり得たのか」と「なぜ帝国は滅びたのか」は、ローマという帝国が存在していたときからずっと、繰り返し、繰り返し、人々によって論じられていたのです。

長く論じられてきたのは、歴史の考察には常にそれぞれの時代というフィルターがかかるため、同じ問いを繰り返しているようでも、時代によってまた新たな気づき方があるからです。

たとえば、ミハイル・ロストフツェフ（一八七〇〜一九五二）という、二十世紀前半のロシアの歴史家は、彼自身がロシア革命から逃れてイギリスやアメリカに渡った経験があったからなのでしょう、ローマの興亡についても都市のブルジョワジーがどのような動きをしたかというところに焦点を絞って論じています。

そして近年は、ローマの情報収集力に焦点を当てた考察がなされていたり、ローマの名誉を重んじるシステムや、自ら戦争を仕掛けていくことで国防を保つ帝国型の専守防衛についての考察など、さまざまな考察がなされています。そしてこうした考察は、やはりどれも今だからこそ気づくことができたものなのです。

歴史家は、いつの時代も客観的に史料を読んで、歴史の真実を見いだそうとはしているのですが、やはりその時代の抱えている問題や、歴史家自身の経験というものに、その考察が引きずられてしまうものなのです。

歴史というものは、すべてそれが考察された時代背景や、考察者の経験などのフィルターを通らざるを得ません。そういう意味で、私はすべての歴史は現代史だと考えています。

そうしたフィルターを排除して、何にも引きずられることなく考察するべきだと思われる方もいるかもしれませんが、人が考えるものである以上、歴史は常に「現代」を引きずった形での問い掛けしかできないということを知った上で、学ぶべきだと思います。

ここで、気づいていただきたいのは、時代が変わっても、常にローマ史に対する考察が繰り返されるのはなぜか、ということです。

それは、それぞれの時代の「現代人」が抱える課題、求めている答えが、ローマ史の中にあるからだと、私は思います。

世界を席巻した大英帝国もローマに学んだ

ローマ史は何年研究し続けても、常に新しい気づきが得られます。

実際、五十年前には気づきもしなかった問題に、今だからこそ気づいた、ということもあります。

先ほど、近年はローマの情報収集力に焦点を当てた研究が見られると言いましたが、それは、今、情報収集力が国家の安全保障を大きく左右するものとなっているからです。ある意味、今は物理的な軍備より、情報収集力のほうが重要な時代です。よく「インテリジェンス」などと言ったりもします。

私は仕事柄、さまざまな国で図書館を利用しますが、イギリスの図書館ほど、膨大な情報を整然かつ合理的に管理しているところはありません。これは私見ですが、恐らくイギリス（大英帝国）は、自らがいくつもの植民地を持つ過程で、ローマ帝国の情報収集力をまじめに研究したのだと思います。

古代ローマと現代では情報を取り巻く環境は違いますが、その本質は同じです。ポイントは三点、いかに正確な情報を多く集めるか、集めた情報をいかにして速く伝えるか、そして、集めた情報を活用するための整理・管理方法です。

ローマでは、正確な情報を集めるために、今で言う諜報《ちょうほう》部員、つまりスパイを活用しています。陰謀事件が多いローマでは、皇帝だけでなく、有力貴族もそれぞれにお抱えのスパイを持っていました。

ローマで情報伝達のスピードアップに重要な役割を果たしたのは、アッピア街道に代表される数多くの街道でした。史料によれば、ローマの主要都市を結ぶ主な街道の総延長は、紀元一一七年の時点で約八万六〇〇〇キロメートル。これらの街道は、当初は軍道としてつくられたものですが、情報伝達にも大きな役割を果たしていたのです。

ローマの情報収集力が実際にはどの程度のものだったかは、実は明言するのがとても難しいのです。なぜなら、先ほど言及したスパイのようなものは、秘密裏に活動することが求められるだけに、史料と言えるものがほとんど残っていないからです。

それでも、ローマの情報収集力の高さを推《お》し量《はか》る手立てとなるものはありま
す。その一つがローマの充実した図書館です。

古代の図書館というと、エジプトのアレクサンドリア図書館が有名ですが、ローマにも立派な図書館がありました。紀元一一二年につくられたトラヤヌス帝のフォルム（公共広場）には、ラテン語とギリシア語の蔵書を収めるための、二棟の立派な図書館があったことがわかっています。

ローマの図書館は、フォルム以外の場所にもたくさんありました。たとえば、ヤマザキマリさんの漫画『テルマエ・ロマエ』のお陰ですっかり有名になったローマの公衆浴場にも、図書館を併設するものがたくさんありました。

さらに、ローマの図書館は、帝国の各地にもありました。ナポリ近郊の遺跡、ポンペイでも図書館の遺構が見つかっています。

かつて、イギリス南部もローマの支配下にありました。ローマの図書館とイギリスの図書館、両者が直接結びついている証拠はありませんが、イギリス人がさまざまな面でローマに学んでいることは確かなので、あの素晴らしい図書館もロ

ーマの図書館の情報処理システムに学んでいたのかもしれないと思うと楽しくなります。

自らを演出したローマ皇帝、神秘性を重んじるアジアの皇帝

「皇帝」という言葉は、東洋でも西洋でも使います。

これは、日本が明治時代に西洋の言葉を日本語に翻訳する際、「Emperor／エンペラー」に中国で用いられていた「皇帝」という言葉をあてたからです。西洋のエンペラーも東洋の皇帝も、どちらも帝国の為政者であることに変わりはないのですが、その性格は大きく異なります。

今は違いますが、かつての日本の天皇や中国の皇帝は、ほとんど民衆の前にその姿をさらすことはありませんでした。人前に姿を見せないことで神聖性・神秘性を高め、人々に畏怖《いふ》の念を抱かせたのです。

そのためアジアでは、皇帝や天皇といった為政者を、民衆が批評したり批判したりすることは、絶対に許されませんでした。

実際、徳川二代将軍徳川秀忠（在職一六〇五～一六二三）が、幕府を批判する落書きをした者は死罪にするというおふれを出したという記録が『東武実録』に残っています。

しかし、同じ「皇帝」でも、ローマでは批判も批評も可能でした。ローマの皇帝は、剣闘士の試合や戦車競走があると主賓席から観戦するのですが、そのとき、あまり熱心に観戦していなかったり、近くの連中とおしゃべりばかりしていたりすると、すぐに悪い評判がたってしまいました。

たとえば、帝国内をくまなく視察して廻ったことで知られるハドリアヌスは、フロルスという詩人に次のような詩で揶揄《やゆ》されています。

「皇帝なんぞになりたかない、ブリトン人の間をうろついて。……の間に潜んで。スキュティア人たちの地の冬を辛抱せねばならぬから」

でも、ハドリアヌスも負けてはいません。実は、この詩に対するハドリアヌスの返事が残っているのです。

「フロルスのようになりたくない。安料理屋の間をうろついて。居酒屋に潜んで。まるまる太った蚊の餌食《えじき》になることを辛抱しなければならぬから」

このようなやり取りがローマでは平気で行われていたのです。

実際、ローマのグラフィティ（落書き）のネタにされた皇帝はたくさんいます。中でもネロ（第五代皇帝）などケチョンケチョンに書かれています。

ネロに母親殺しの疑惑がたったとき、「ネロ、オレステス、アルクメオン、母親殺し」というグラフィティが書かれました。

オレステスとアルクメオンというのは、ギリシア神話に登場する母親殺しです。つまり、その両者と同じことをおまえもやったんだろ、と言っているのです。でも、グラフィティにケチョンケチョンに書かれたからといって、「これを書いたのは誰だ！」と怒って、犯人を見つけ出して罰するようなことはしていません。

民衆は、常に皇帝の姿を鵜《う》の目鷹《たか》の目で見て、少しでも思うところがあれば、よくも悪くもすぐにグラフィティに書くのが当たり前だったからです。だからこそローマの皇帝は、民衆の目を気にし、人前では常に自分を演出していました。

これは今の感覚で言えば、芸能人や有名人を特別視し、有名人が常に人々の視線を気にして行動しているのと似ています。

似てはいますが、同じではありません。芸能人は人気商売と言われるほど、その盛衰は人気に左右されます。ローマ皇帝も民衆の人気は重要でしたが、絶対条件ではないからです。

実際、ローマ皇帝の中には性格的にそうした人気取りのためのパフォーマンスが苦手な人もいました。たとえば、ティベリウス（在位一四～三七）などは、その典型です。

彼は、教養も学識もあり、軍事的な功績をいくつも上げているので、決して無能な皇帝ではありません。むしろ立派な皇帝だったと言っていいでしょう。

しかし、その表情はいつも厳しく、人と打ち解けて話すことのない寡黙《かもく》な人でした。そうした性格が、人々に冷淡で傲慢な印象を与えたのでしょう、民衆に人気はまったくありませんでした。

彼が亡くなったときも、民衆は悲しむどころか、「ティベリウスの遺体はティベリス川に放り投げろ」と駄洒落《だじゃれ》を言ったと伝えられています。

逆に、グラフィティでケチョンケチョンに悪口を書かれたネロは、母親殺しやキリスト教徒の迫害など、数々の悪行で知られる暴君ですが、民衆の人気はすこぶる高い皇帝でした。なぜなら、彼は常に凝《こ》った衣装で民衆の前に立ち、人々に大盤振る舞いを続けていたからです。

お陰で財政は破綻《はたん》、軍と元老院に嫌われ、最後は失脚して自害して果てるのですが、死後もなお民衆の人気は衰えず、死後数年経っても彼のお墓には色とりどりの花が供《そな》えられていたと言います。

こうした為政者の違いについて、天皇や中国の皇帝などアジアの為政者は血統で後継者が決まるけれど、ローマでは選出されていたからではないか、と言う人もいますが、実際にはローマも最初の段階では、皇帝の近親者が後継者となるケースがほとんどでした。

初代ローマ皇帝アウグストゥスには実の息子がいなかったので、自分の妻リウィアの息子であるティベリウスが後を継いで皇帝になっています。

そのティベリウスには息子（小ドルスス／前一四頃～後二三）がおり、後継者としての地位を受け継いでもよかったのですが、ティベリウスの甥のゲルマニクス（前一五～後一九）という非常に有能で人望もある人物が民衆の期待を集め、ティベリウスの養子となり、後継者の地位を確立します。

しかし、彼もまたティベリウスより先に亡くなってしまいます。やがて、小ドルススも急死してしまいます。

そんな中、新たに人々の期待を集め、ティベリウスの後を継いだのが、ゲルマニクスの息子のカリグラ（在位三七～四一）でした。そのカリグラの後を継いだのは、ゲルマニクスの弟のクラウディウス（在位四一～五四）、さらにその後はカリグラの妹の息子ネロが皇帝になっています。

ここら辺は人間関係が複雑なのですが、ゲルマニクスを中心に見ると、ゲルマニクスの実子↓実弟↓孫という順番で帝位が継承されていることがわかります。そういう意味では、初期のローマ皇帝は、ほとんど血族による継承がなされているのです。

その後も、少し間が開きますが、六九年に帝位に就いたウェスパシアヌス（在位六九～七九）以降も、その長男のティトゥス（在位七九～八一）、次男のドミティアヌス（在位八一～九六）と血族による継承が続きます。

五賢帝の時代になると、先帝が実子ではない者を後継者に指名するということが続きますが、それは必ずしも優れた者を後継者に選ぼうとしたわけではなく、たまたま実子がいなかったり、いても小さいうちに亡くなってしまったり、という事情があったからそうなったに過ぎません。

ですから、血統重視が東西皇帝の性格の違いを生み出しているわけではないのです。

では、なぜ洋の東西でこうした違いがあるのか。

私の推測ですが、この違いが生まれる土壌として、ギリシア人とローマ人の経験がアジアとは異なるからだと思います。

ギリシア人は、まがりなりにも民主政を経験したことで、人間が競い合ってよりよきものをつくりだすというシステムを肌身に感じたはずです。ローマ人は王政の独裁を嫌い、それを排除するために五百年にわたって共和政を守ってきました。

そのような古代人の経験のどこかで為政者を特別な者とは見ないという感覚が生まれ、それがその後のユーラシア西部で受け継がれていったのではないでしょうか。だから血統がそれなりに守られても、それをどれだけ神聖なものと見なすかには大きな差異が生じるのだと思います。

文明度はローマを基準に考える――古代ローマと江戸の上下水道

第1章で、ローマ人と日本人はソフィスティケートする能力が共に高い、と述べました。実は、ほかにもローマと日本には多くの共通点を見いだすことができます。

中でも、江戸時代の日本とローマは非常に多くの共通点を持っています。双方の風呂好きは、『テルマエ・ロマエ』のお陰ですっかり有名になりましたが、トイレの清潔さも江戸時代の日本と古代ローマは群を抜いています。

江戸時代、人糞《じんぷん》は畑の肥料として使われたため、商品として取引されていました。特に江戸や大坂といった大都市では価格が高騰することもあったので、共同のトイレではその権利が明確に決められていました。たとえば、長屋の共同トイレに溜まった人糞は、大家《おおや》の収入と決まっていました。このようにお金になったことから、排泄物はできるだけ「便所（トイレ）」に集められました。

日本に「便所」が登場するのは、十四世紀半ばと言いますから、鎌倉時代末期から室町時代初期にかけてのことです。ヨーロッパでは十九世紀の初頭まで「おまる」が使われ、排泄物は家の窓から街路に捨てられていたことを考えると、日本の清潔さは特筆すべきものと言えます。実際、幕末に日本に来た欧米人は、日本の街路の清潔さに驚き、感嘆しています。

しかし、その糞尿垂れ流しのヨーロッパも、古代ローマまでさかのぼると、素晴らしいトイレ文化を持っていました。

まず、ローマの街にはたくさんの公衆トイレがありました。しかもそれは、水洗トイレでした。日本にも古くから「辻便所」と言われる公衆トイレはありましたが、それらはみな汲み取り式でした。ローマでは人糞を肥料として使わなかったので、上下水道が備わっていた街では、下水路の上にトイレがつくられました。これがローマの水洗トイレです。

排泄物が直接下水に流れていくので、街は清潔でしたが、ローマの下水がそのまま排出されていたテヴェレ川の汚染はひどいものでした。二世紀の記録に、ガレノスという医師が、「テヴェレ川で獲れた魚介類を口にしないように」と警告した、とあるほどです。

そう考えると、水洗トイレはありませんでしたが、糞尿を下水に流さなかった江戸のほうが衛生的だったと言えます。

きれい好きの日本人は、もちろん飲み水に使う上水道を清潔にすることにも気を配っていました。

江戸の上水は主に地下を流れ、そこから各所にある井戸に引かれていました。つまり、江戸の井戸は上水の流れでつながっていたのです。

そこで江戸の人々は、年に一度、七夕の日に江戸中の井戸を一斉に清掃したのです。この井戸の清掃は、一度水をすべて汲み出してから行ったので「井戸浚《さら》え」と呼ばれました。

江戸には「六上水」と言われるように神田、玉川、本所《ほんじょ》、青山、三田、千川《せんかわ》と六本の上水が引かれていました。なかでも、井の頭《いかしら》池を水源とする神田上水と、玉川上流（羽村《はむら》）から取り込んでいた玉川上水の二本が本流でした。玉川上水の長さは羽村から四谷までの四三キロメートル、標高差は九二メートル。高低差は一メートル当たりわずか二ミリと言いますから、ものすごい技術です。

しかし、ローマの水道は、その江戸の水道よりも、さらにすごいものでした。

ローマに引かれた水道は一一本。最も長いマルキア水道（前一四〇年完成）の全長は九一キロメートルにも及びます。

ローマの水道も、その長い道のりのほとんどが地下水路でしたが、地形的な問題で地下に水路をつくれない場所では水道橋を建設しています。

こうした水道の敷設には莫大な費用がかかります。江戸では幕府主導で行われ、その維持・管理も幕府が行いました。年に一度の井戸浚えは江戸の市民が総出で行いましたが、通常のメンテナンスは、水番所（水番屋とも）に詰めている水番人の仕事でした。

もちろん、こうした管理にはお金がかかるので、江戸では「水銀《みずぎん》」と呼ばれる料金がかかりました。支払い金額は身分によって異なり、武家が八割、寺方が二割とそのほとんどを負担し、多くの人はタダ同然の安い料金で水を使うことができたのです。

一方、ローマの水道の敷設費用は、資産を持つ個人が負担するのがほとんどです。

ローマ最古の水道「アッピア水道」は、有名なアッピア街道を建設したアッピウス・クラウディウス・カエクス（前三四〇～前二七三）という執政官を務めた人物が建設したものです。個人が公共のために敷設したものなので、ローマの水道は誰もが無料で使うことができました。

と、このように言うとローマのほうがいいように思うかもしれませんが、長い目で見ると、必ずしもそうとは言い切れなくなります。なぜなら、インフラにはメンテナンスが必要で、そのメンテナンスも老朽化すればするほど経費がかさむからです。

富裕層にしてみれば、新しい物をつくったときは、自分の名前がついたり、記念碑が建てられたり、民衆に自分の存在をアピールすることができますが、メンテナンスは費用がかかるわりに地味な作業なので、出資に見合ったリターンが得られません。だから積極的なメンテナンスはしたがらず、公共的性格が強いにもかかわらず、国家もインフラに責任を持つという意識は希薄でした。

その結果、帝政末期になるとローマのインフラはどれも老朽化して、そのことがローマ帝国の体力を奪う要因の一つになってしまうのです。

ローマの水道として誰もが真っ先に思い出すのは、トレヴィの泉でしょう。トレヴィの泉に水を供給するヴィルゴ水道（Aqua Virgo）は、初代皇帝アウグストゥスの腹心として知られるマルクス・ウィプサニウス・アグリッパ（前六三〜前一二）が建設したものです。現在もトレヴィの泉に水を供給しているこの水道も、実はローマ帝国滅亡後、使えなくなっていました。

千年後にこの水道を再び使えるように修復したのは、ローマ教皇ニコラウス五世（就任期間／一四四七〜一四五五）でした。彼による完全な修復と拡張以後、ヴィルゴ水道は、アックア・ヴェルジネ（Acqua Vergine）と呼ばれています。

「名誉心」が国家を支えた——「武士道」と「父祖の遺風」

古代地中海世界に一〇〇〇以上あった都市国家の中で、なぜローマだけが大帝国になり得たのか。十九世紀後半、欧米列強が植民地化を進めるアジアで、なぜ日本だけが植民地支配を免れ独立を保つことができたのか。

まったく異なる時代の、まったく異なる問いのようですが、私はこの二つの問いには共通する答えがあるように思います。

それは、ローマでは「父祖の遺風」、日本では「武士道」という、精神の柱とでも言うべきものがあったからではないか、というものです。

新渡戸稲造《にとべいなぞう》（一八六二〜一九三三）の著書『武士道』は、もともと英文で欧米人向けに書かれたものでした。きっかけは、日本では宗教教育は行われていないという新渡戸の発言に驚いた欧米人に「宗教がなくて、どうして道徳が授《さず》けられるのか」と質問され、答えに窮したことでした。

自分の中の善悪や正邪の観念を育んできたものは何なのか。そう自問自答した新渡戸が見いだしたのが武士道だったのです。

ですから新渡戸の語る武士道は、切腹や特攻精神に直結するように荒々しいものではなく、「礼節をわきまえ、惻隠《そくいん》の情を失わず、私心をすてる」といった武人の心構えとでも言うべき柔和《にゅうわ》なものです。対外的には柔和ですが、これは自分を律するためのものなので、厳しい自戒を要します。

武士道は、しばしばヨーロッパ中世の騎士道との類似が指摘されますが、ローマには騎士道以上に武士道に通じるものがありました。それこそローマ人が「父祖の遺風／mos maiorum（モス・マイオルム）」と呼んでいるものです。

「父祖の遺風」とは、簡単に言えば先祖の名誉ということです。つまり、先祖の立派な行いを名誉として重んじると同時に、自らもその名誉に恥じないよう生きなければならない、という強い思いです。

そして、こうした思いが揺らがないように、ローマではことあるごとに先祖の威徳《いとく》が偲《しの》ばれ、父祖の遺風が磨き上げられました。

ローマの大弁舌家キケロは、「ローマの国は古来の習慣と人によって成り立つ」と断じていますが、それはこうした父祖の遺風を磨き上げる行為が、ローマにおける世の掟《おきて》であるばかりか、知恵でもあり技術でもあり、人々の生き方そのものになっていたということです。

そのため、ローマ人にとって戦争は、もちろん勝つことが目的ではあるのですが、結果としての勝利が重要なのではなく、そこで名誉を得ることが重要でした。

これはローマのインペリアリズム（帝国主義）を語る上で、とても重要なポイントです。

つまり、単に領土を拡大するだけではなく、ローマの、特に元老院貴族たちの中のトップレベルの連中が、自分がいかに人よりも優れた存在であるかということを、その戦いの過程で人々に知らしめることが重要だったのです。

そして、そのためには武勲《ぶくん》を挙げることが最も効果的でした。だからこそ、彼らは勝利を獲得するために、もっと露骨に言えば、自分が武勲を挙げるために大変な努力をしました。

そんなのどこの国でも基本的には同じじゃないか、と思われるかもしれませんが、大きな違いが一つありました。それは、「名誉」に対する考え方です。

たとえば、古代ギリシアもまた名誉を重んじる国でしたが、ギリシアでは敗戦将軍は祖国の土を踏むことが許されませんでした。生きて帰れば、よくて追放、悪ければ処刑されてしまうからです。

ところが、ローマの場合は戻ることができました。しかも立派に戦った結果の敗《ま》けであれば、それなりに温かく迎えてもらえました。

ギリシア人は敗戦という結果を不名誉と断じますが、ローマでは立派に戦った結果なら、生きて帰ってきたという時点で、すでに本人は充分な恥辱を受けていると考え、責めないということです。

これは決定的な差です。

そして、この差がどのような結果につながるかというと、ギリシアの敗戦将軍は死ぬまで戦うか、負けて生き延びた場合は他国に逃げてしまいますが、ローマの敗戦将軍は、味わった恥辱を跳ね返すために次の戦いで大変な努力をするようになるのです。

ローマ人たちも、そこに期待をかけ、敗戦将軍には進んで名誉回復のチャンスを与えました。

実際、カエサル（前一〇〇〜前四四）もそうですが、ローマの有名な将軍の多くは敗戦を経験し、その屈辱を次の勝利につなげた人がとても多いのです。

これは名誉に対する考え方が根本的に違うからこそできたことです。どんな屈辱であっても、それ以上の名誉を獲得することで、屈辱は覆《くつがえ》すことができる、そう思えたからローマ人は執念深く物事を遂行することができ、だからこそ大帝国になり得たと言えるからです。

日本にも名誉挽回、汚名返上という言葉があるように、再チャレンジを認める気風があるように思います。

ローマ帝国はどうして偉大になったのか——ローマの寛容について

先日、とある飲み屋で近くにいた人とローマの話になりました。

その人はローマ史に関心があるらしく、私が専門家だとわかると、「ローマ帝国は、どうして偉大になったのでしょう?」と質問されました。

簡単に答えられる問題ではないけれど、と前置きして、「もし、一言で言うなら寛容さだと思います」と答えました。

これはローマにかぎった話ではありませんが、世界の大帝国と言われる国を見ていくと、最初から寛容な国などほとんどありません。やはり最初は軍事的制圧からスタートするので、最初の何年かは、ある程度、力で抑えつけざるを得ないのです。

しかし、ずっと抑えつけたままだと、不満から反政府運動へと流れるので、ある程度の期間が過ぎたら少し緩め、「これくらいのことは、おまえたちに任せよう」という形で、ある程度の自治を認めることが必要になります。

■古代アッシリアの壁の彫刻

鉄製の戦車と騎兵を使って周辺諸国を征服。前7世紀にはオリエントを統一して最初の世界帝国となった。

　実際、最初の厳しさをずっと続けてしまった帝国というのは、長く続いた例《ためし》がありません。最も典型的なのが、古代アッシリア帝国です。

　アッシリアは前二千年紀初頭に、北メソポタミアに興った王国に始まります。その後アッシリアは武力でその版図《はんと》を広げ、アッシリア帝国へと成長します。ちなみに、アッシリア帝国という場合は、新アッシリア王国のティグラト・ピレセル三世（在位前七四五～前七二七）の即位から、アッシュールバニパル（在位前六六八～

前六二七）の治世までの約百二十年間を指します。

アッシリア帝国は「強圧の帝国」でした。

属州に対しては、重い税金を課すなど、常に強圧的な政策で臨みました。中でも最も属州民を苦しめたのは、人々を強制的に移住させる大量捕囚《ほしゅう》でした。強制的な捕囚は、当時のオリエント世界ではよくある政策でしたが、アッシリア帝国のそれは、組織性と規模において類を見ない大規模なものでした。

こうした強圧的な支配は、属州民の反感を強め、反乱を招く結果となったのです。そして、相次ぐ反乱に国力を奪われたアッシリア帝国は、紀元前六一二年にメディア人とカルデア人（新バビロニア）の連合軍に首都ニネヴェを占領されたことを機にあっさりと滅亡してしまいます。

強圧的な方法だけでは、長く帝国を維持することはできません。しかし、あまり寛容にしすぎてしまうと収拾がつかなくなってしまうので、異質な価値観をどこまで許容するかという寛容さと厳しさのバランスが実はとても難しいのです。

そういう意味で、ローマは「寛容」の使い方がとても上手かったと言えるでしょう。

たとえば、属州にラテン語を強要しなかったのもその一つです。「使え」と強要すれば相手は反発しますが、自由な環境の中で、長く生活していくならラテン語が使えたほうが有利だとわかると、人は自ずとラテン語を覚えて使うようになっていきます。

これは今の英語と同じです。英語を強要されると「日本人なんだから日本語ができればいいんだ」と意固地になりますが、仕事や海外旅行で「英語ができたら得だな」と思うと、自らお金を払ってでも英語を学ぶようになります。

ローマ帝国で、この寛容さの使い方が飛び抜けて上手かったのが、カエサルでした。

ローマに「クレメンティア・カエサリス（Clementia Caesaris）」という言葉がありますが、これは直訳すると「カエサルの慈愛」ということです。

ですからカエサルはよく寛容な人物と評されるのですが、本質的には彼は残忍な行為も辞さない男でした。つまり、カエサルが寛容さを示すのはローマ市民と、服従する人々に対してだけで、徹底してレジスタンスを行う者は容赦なく叩きつぶしています。

特に刃向かうガリア人に対するカエサルの姿勢は有名ですが、容赦なく軍事的制圧を行い、残酷な処刑も行っています。しかし、その後ガリア人が恭順の意を示すと、一転して寛容さを見せるのです。

そんなカエサルも、ローマ市民に対してだけは、終始寛容さを示し続けました。その典型がブルートゥス（マルクス・ユニウス・ブルートゥス／前八五～前四二）です。

カエサルは、ブルートゥスがどれほど自分に敵対して戦っても、同じローマ市民だからという理由で、何度も寛容な態度で許してきました。許しただけではありません。ブルートゥスを新しい役職に就けたりもしています。

カエサルは、こうした慈悲の使い分けを、かなり意識してやっていたと考えられます。

■ カエサル

前1世紀のローマ共和政末期の軍人、政治家。

　ですから、カエサルが議場で刺されたときの「ブルートゥス、おまえもか／Et tu, Brute?（ラテン語）」というあのセリフには、いろんな意味合いが込められているのですが、一つには、「俺はおまえをこんなにも許してきたのに、なぜおまえはここまでやるんだ」というカエサルの気持ちが込められていたと私は思います。

「寛容」で成長したローマは「傲慢」で滅ぶ

　ローマを帝国にならしめたものが「寛容」だとすると、滅ぼしたものは何か。私はこれも一言で言うなら、「ヒュブリス（傲慢）」だと思います。

　ヒュブリスというのは、ギリシア神話に由来する言葉で、人の心に極度の野心や自尊心、傲慢なほどの自信をもたらし、その人を破滅に導くとされるものです。ヒュブリスはギリシア悲劇の核をなすものでもあり、ローマ人が極端なまでに独裁を嫌ったのは、このヒュブリスを恐れたからだとも考えられます。

　なぜヒュブリスが悲劇の核なのかというと、悲劇とは勝者にのみ起きるものだからです。もともと敗者でしかない人に悲劇は起きません。敗者が経験するのは悲哀でしかないからです。悲劇というのは、勝者となった幸運児が敗者に転じたとき起きるものなのです。

つまり、悲劇は勝者にのみ降りかかる、ということです。

ローマ帝国の滅亡については、具体的な要因をいくつか挙げることができます。たとえば、異民族の侵入です。帝国の末期、ローマは度重なる異民族の侵入に苦しみます。

また、前述したように、帝国各地でインフラが老朽化し、さまざまな問題を引き起こしたのも、ローマの国力をそいだ要因の一つです。さらに、軍事費の増加が国家の財政を圧迫しました。

しかし、実はこうしたことは帝政末期になって始まったことではありません。ローマは昔から常に異民族に狙《ねら》われ、度々侵入されていました。ですから問題は異民族の侵入だけにあるのではなく、それ以上に、ローマに異民族の侵入を撥《は》ね除《の》ける力が失われてしまったことが問題なのです。

インフラの問題も、先に触れたように、保守・修繕は貴族にとって投資に見合うリターンがなかったのであまりやりたがらなかった、という面があるのは事実ですが、まったくの手つかずで放っておいたわけではありません。途中何度も修復は行っていました。しかし、根本的な老朽化はいかんともしがたく、本来なら新しくつくりかえるべきだったのです。

それが行われなかったのには、富裕層にかつてのような財政的余裕がなくなっていたということがあるのです。

こうした富裕層の弱体化は、軍事費の問題にも直結します。

十八世紀までの国家は、実はどこも国費における軍事費の割合が大きく、国家予算の三分の二が軍事に費《つい》やされるのが当たり前でした。ローマでも国費の約七割が軍事費に使われていました。

それでもローマが広大な帝国を維持できたのは、中央から帝国各地に派遣された官僚（有力貴族）が、現地での国家運営に関わる費用のほとんどを、かなりのところはボランティアで行っていたからなのです。なぜなら、彼らにとって公職に就くことは、父祖の遺風にかなう「名誉」だったからです。

このような個人の資産と名誉心に依存する国家運営は、国が発展・安定しているときはいいのですが、政局が不安定になると問題が生じやすくなるという危険をはらむものでした。

事実、三世紀に軍人皇帝が乱立し、政局が不安定になると、安定のためにさらに軍事活動が必要になり、その軍事費を集めるために重税が課せられるのですが、富裕層があの手この手を使って重税逃れをしてしまったため、貧しい者の負担ばかりが重くなり、税収があがらない割に市民の不満が募り、事態をさらに悪化させてしまいました。

また、これはある経済学者が指摘していたことですが、ローマのような奴隷社会では、きつい労働はすべて奴隷が担うので、改良や工夫の努力がなされなくなる傾向があるというのです。歴史学者にとっては新鮮な指摘で、確かにそういう一面はあったと思います。

ローマの発展を支えたのは、ギリシアやエトルリアから学んだことを、ソフィスティケートする能力の高さでした。ローマは強大な帝国という勝者になったことで傲慢になり、その世界に誇るソフィスティケート能力を追求しなくなっていたのです。

つまり、ローマ帝国が滅亡したのは、ローマという国そのものがヒュブリスになってしまった結果と言えるのです。

ローマと同じようにソフィスティケート能力の高さで国を発展させてきた日本は、ローマと同じ過ちを犯してはいないでしょうか。近年の相次ぐ日本企業のデータ改ざん問題は、ソフィスティケート能力の基礎となる誠実さが失われつつある兆《きざ》しのように思えてなりません。そして、ローマの末路を知る私は、そこに危《き》惧《ぐ》の念を禁じ得ないのです。

「知識」のギリシア、「お金儲け」のカルタゴ、「勝利」のローマ

古代ギリシアの哲学者プラトン（前四二七～前三四七）は、人間の興味について面白い考察をしています。

プラトンは、人間には三種類の興味があると言います。

一つ目は「知識」に対する興味、二つ目は「お金儲け」に対する興味、三つ目は「勝利」に対する興味。そして人は、だいたいこの三つのうちのどれかで動い

ている、と。

この言葉を知ったとき、この考察が、ギリシアとカルタゴとローマにピッタリ当てはまっていることに私は驚きを感じました。

ギリシア人は知識に強い興味を持ち、カルタゴ人は儲けることに強い興味を持ち、ローマ人は勝つことに強い興味を持っているからです。

プラトンの時代、ローマはまだ小さな都市国家の一つに過ぎません。プラトンがローマという国の存在を知っていたかどうかも怪しいところです。

ですからこれは、ローマのことを言っているわけではないのですが、それぞれの性格を見事に言い当てているのです。

かつて森本哲郎《もりもとてつろう》さんは、『ある通商国家の興亡――カルタゴの遺書』（一九八九年・PHP研究所）という本の中で、「カルタゴは日本、ローマはアメリカ、そしてギリシアがヨーロッパ」といったことを述べました。

確かに、ギリシアとヨーロッパは似ています。共にその歴史と文化を誇り、人々は知識に強い興味を示します。

カルタゴは、国土は小さいけれど、地中海貿易を独占した経済大国です。森本さんはバブル絶頂期の日本の姿を、カルタゴになぞらえたのです。

カルタゴと日本には、実はほかにも共通点があります。それは、第二次ポエニ戦争（前二一八〜前二〇二）でローマに敗れたあと、カルタゴは軍事力を奪われているのですが、そこから経済で国を立て直しているのです。これは、第二次世界大戦に敗れ、自衛隊はあるものの戦争を放棄し、経済力で国力を蘇らせた日本の姿に重なります。そういう意味では、カルタゴ人も日本人もお金儲けに強い興味を持っていると言えるでしょう。

ローマもアメリカも軍事力と経済力でほかを圧倒する大国です。そして両者とも勝つことに興味を持っている、というか強いこだわりを持っています。

森本さんは、ヨーロッパをギリシアに、日本をカルタゴに、そしてアメリカをローマになぞらえ、ギリシアとカルタゴとローマの運命をたどることで、日本の未来に警鐘《けいしょう》を鳴らしました。

カルタゴは、第一次、第二次ポエニ戦争で多くの領土を失ったにもかかわらず、経済で国を立て直し、「地中海の女王」と呼ばれるほどの経済大国に成長します。長年カルタゴと戦争を繰り返していたローマにとって、あまりにも速《すみ》やかなカルタゴの復興は脅威でした。何しろローマが足枷《あしかせ》のつもりで課した莫大な賠償金も、カルタゴは繰り上げ返済してしまったのです。

さらに国力を回復したカルタゴは、ローマの許可なく他国と交戦しないという約束を破り、周辺諸国と小競《こぜ》り合《あ》いを繰り返すようになります。力を持ったカルタゴは、傲慢にもこれぐらいのことは許されると思ったのかもしれません。

しかし、誇り高く、勝つことに強いこだわりを持つローマ人は、将来の禍根《かこん》を断つためにもカルタゴの殲滅《せんめつ》を掲げ、戦争に踏み切ります。こうして起きたのが、第三次ポエニ戦争（前一四九〜前一四六）です。

恐らくこれには、「ローマは約束を破った者を決して許さない」ことを周辺諸国に示すという思惑もあったのでしょう。戦いに勝利したローマは、カルタゴの国土を焼き払うだけでは済まさず、焦土《しょうど》と化した土地に塩を撒《ま》き、植物すらも生えないように、徹底的に破壊しました。カルタゴは文字通り殲滅されたのです。

歴史に学ぶとは、まさにこうしたカルタゴの最期から、似た性質を持つわれわれが同じ轍《てつ》を踏まないようにするにはどうすればいいか、ということを考えていくことなのだと思います。

私の大好きな言葉に、インド独立の父と謳われるマハトマ・ガンジー（一八六九～一九四八）の言葉があります。

明日死ぬと思って生きなさい。永遠に生きると思って学びなさい。
Live as if you were to die tomorrow. Learn as if you were to live forever.

人間というのは、もうすぐ自分が死ぬとなると、「今さら学んでも仕方がない」と思ってしまうので、学ぶ気持ちをなくしてしまいます。だから、永遠に生きると思って学びなさい。人は明日死ぬと思うと、残された一日を、悔いを残さぬように大切に生きようとします。だから、明日死ぬと思って生きなさい。

この言葉は、一日一日を大切に、そして最後まで学び続けることの大切さを説いているのです。

今、われわれは何を学ぶべきなのか。歴史に、そして、ぜひローマに、多くのことを学んでいただきたいと思います。

第3章

世界では同じことが「同時」に起こる

漢帝国とローマ帝国、孔子と釈迦

「ザマの戦い」と「垓下の戦い」は、同じ前二〇二年に起きた

不思議なことですが、世界史を俯瞰《ふかん》していると、同じようなことが離れた場所で同時期に起きることがよくあります。

序章でお話ししたように、前二〇二年に、洋の東西で漢帝国とローマ帝国という世界帝国が、ほぼ同時に誕生したのも、その一つです。

教科書的な意味での「帝国」は、それ以前にも存在していました。記録に残るところでは、最古の世界帝国はアッシリア帝国だと言われています。その後、ペルシア帝国ができ、それを倒す形でアレクサンドロス大王の帝国が登場します。ローマ帝国が誕生するのは、その後です。

東の方を見ても、漢帝国の前に始皇帝（前二五九〜前二一〇）で知られる秦《しん》帝国が存在していたことが明らかになっています。

確かに、これらの帝国もかなり広大な版図を誇った帝国でした。しかし、私はこれらの帝国は「世界帝国」とまでは言えないと思っています。なぜなら、どれ

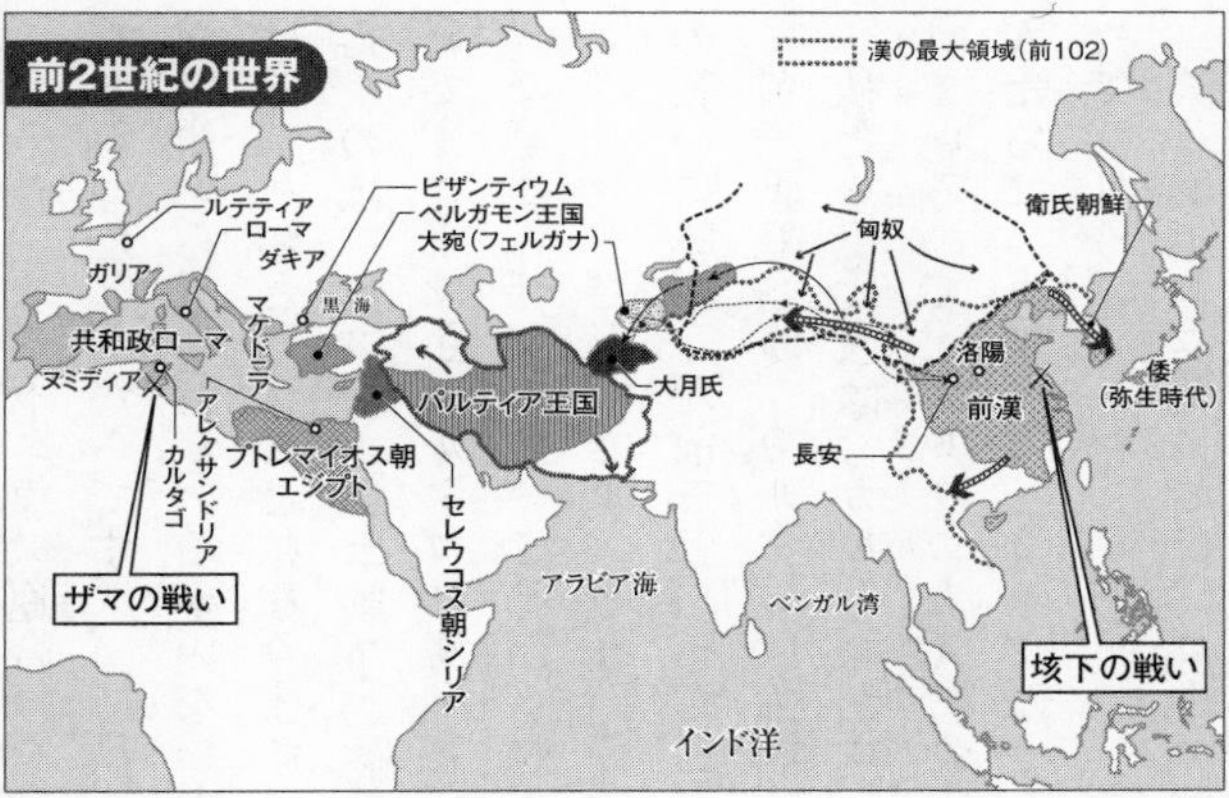

も永続的な存在ではなかったからです。始皇帝の建てた秦帝国は彼一代で崩壊しています。アレクサンドロス大王の帝国も、彼の死と共に分裂してしまいました。

ですから永続的な世界帝国という意味では、やはり世界史の中では、ローマ帝国と漢帝国が冠たるものなのです。

そして、その世界史初の世界帝国の誕生が、期せずして前二〇二年に、西と東で同時に起きているのです。

ローマ帝国の誕生年については、初代皇帝アウグストゥスの即位からと考える人もいます。確かにローマに「皇帝」が誕生し、帝政期に入るのは、前三一年のアクティウムの海戦で、オクタウィアヌスがクレオパトラ・アントニウス連合軍を破り、その四年後にアウグストゥスという称号をもらったときからです。

ですから、皇帝がいるかいないか、という視点で捉えれば、ローマ帝国の誕生は前二七年ということになります。しかし私は、ローマが帝国としての条件を整えたのは、第二次ポエニ戦争の勝敗を決定づけたザマの戦い（前二〇二年）において、ローマがカルタゴに勝利したときだと考えています。

なぜならザマの戦いこそが、ローマのその後の運命を決めた、まさにターニングポイントだからです。そういう意味で、私はローマ帝国が誕生したのは、ザマの戦いに勝利した前二〇二年だと考えています。

前三世紀当時、カルタゴは強国でした。

私たち現代人は、カルタゴがローマに完膚《かんぷ》なきまでに叩きつぶされたことを知っているので、カルタゴなんてたいしたことないと思いがちですが、もし当時の人たちに「カルタゴとローマはどちらが強いか」と聞いたら、恐らく互角と答えたでしょう。

第一次ポエニ戦争では、ローマがやや有利な形で勝利しましたが、実際にはそれほど明確な形での勝利ではありませんでした。

そして、第二次ポエニ戦争は、最終的にはローマの勝利で終わりますが、敵将ハンニバルとの戦いでローマは敵の本国侵入を許し、南イタリアのカンナエで行われた戦いでは手痛い敗北を喫しています。

カンナエの戦いは、たった一日で勝敗が決した戦いとしては、第一次世界大戦以前では最多と言われる戦死者を記録する壮絶な戦いでした。しかも、戦場は南イタリアですから、カルタゴ軍を率いるハンニバルにとってはアウェイです。軍勢もカルタゴ軍のほうがローマ軍よりはるかに少数でした。にもかかわらず、戦死者はほとんどがローマ兵だったのです。

第二次ポエニ戦争は、最終的にはザマの戦いでローマ軍が勝利を収めますが、それまでローマ軍はハンニバルにさんざん苦い思いをさせられています。

第二次ポエニ戦争が始まったのは前二一八年、カンナエの戦いが前二一六年、ザマの戦いが前二〇二年ですから、ローマ軍は十六年もの長きにわたってカルタゴから決定的な勝利を収められず、苦しんでいたことになります。

ザマの戦いでローマ軍を率いたのは、スキピオ（大スキピオ／前二三六～前一八四)。彼は、かつてカンナエの戦いに参加し、生き残った人物だと考えられています。スキピオは、数で勝っていたにもかかわらず惨敗したカンナエの戦いを教訓に、周到な準備を整え、油断なくカルタゴに侵攻しました。

ザマの戦いに勝ち、完全な勝利を勝ち取ったローマは、宿敵カルタゴの領地を本国だけに限定し、交戦権を剝奪《はくだつ》。その上、莫大な賠償金を課しました。ローマは、これでもうカルタゴは以前のような力は持てないだろう、と思ったに違いありません。

ところが、カルタゴの経済的復興は凄《すさ》まじく、五十年かけて支払う約束だった賠償金を、半分以下の二十年ほどで払い終えてしまいます。

カルタゴの復興を目《ま》の当たりにしたローマは、カルタゴ殲滅を掲げて第三次ポエニ戦争に踏み切ります。そして、完膚なきまでに叩きつぶしました。

ですから、カルタゴが滅亡するのは第三次ポエニ戦争ですが、それはいわばだめ押しのようなものであり、実質的には第二次ポエニ戦争、それもザマの戦いでローマが圧倒的な勝利を収めた時点で、ローマは「ローマ帝国」としての実質的な条件、つまり西地中海の覇権を掌握するという段階に突入したのです。

西でローマが、その覇権を確定したのとちょうど同じ年の前二〇二年、ユーラシアの東、現在の中国で、似たような事件が起こっています。

垓下《がいか》の戦いです。

これは四面楚歌のエピソードで知られる項羽（前二三二～前二〇二）と劉邦（前二四七～前一九五）の決戦です。

項羽率いる楚《そ》軍と、劉邦率いる漢軍、両雄の対決は、当初は項羽の方が優勢に駒を進めていました。しかし、項羽はワンマンな性格が禍《わざわい》し、部下の寝返りや投降が相次ぎ、次第に劉邦の軍に追い詰められていきます。

両雄はいったんは天下二分の和約を結びますが、今が好機と判断した劉邦が一方的に和約を反故《ほご》にし、追撃に転じます。その結果、ついに垓下の地（現・安徽《あんき》省蚌埠《ほうふ》市固鎮《こちん》県）に追い詰められ、身動きが取れなくなった項羽の耳に聞こえてきたのが、自分の味方だったはずの楚の歌でした。

実はこの楚の歌は、楚軍の戦意を奪うための劉邦の作戦でした。つまり、「漢軍にこれほど多くの楚の兵が寝返ったのでは、もうどうすることもできない」と思わせたのです。

この作戦に項羽は見事にひっかかり、わずかな手勢だけを連れて落ち延びます。しかし逃げきることはできず、最期は烏江《うこう》（現・安徽省馬鞍山《まあんさん》市和《わ》県の烏江鎮）で、自ら首を刎《は》ねてその生涯を閉じました。

そして、項羽の死という決定的な勝利が、漢帝国の誕生を決定づけたのです。つまり前二〇二年は、漢帝国とローマ帝国という、東西ユーラシアにおける世界帝国が、ほとんど同時に出現するという、非常に珍しいことが起こった年なのです。

ローマ帝国と漢帝国を襲った「三世紀の危機」

時を同じくして東西で生まれた二つの世界帝国、ローマ帝国と漢帝国は、奇しくも存亡の危機もほぼ同じ時期に迎えていました。

ローマ帝国はザマの戦いから約四百年後、「三世紀の危機」と呼ばれる混迷の時代を迎えます。一方の漢帝国は、二世紀の末に起きた黄巾《こうきん》の乱（一八四）以降、群雄割拠する『三国志』に描かれた時代に突入していきます。

ローマ帝国が最も安定していたのは二世紀、いわゆる「五賢帝の時代」です。この時代は、ローマ史どころか人類史の中で最も幸せな時代と言われるほどの絶頂期でした。その五賢帝の時代の繁栄は、表向きは皇帝の「徳」によってもたらされたということになっていますが、実際には軍事力に支えられたものでした。そして皮肉にも、そのことが後に軍人皇帝が擁立《ようりつ》される背景となったのです。

五賢帝最後の皇帝マルクス・アウレリウス（在位一六一～一八〇）は哲人皇帝と言われる、非常に有能な人でしたが、死後、無事に成人していた実子のコンモドゥス（在位一八〇～一九二）に帝位が譲られたあたりから暗雲が立ちこめていきました。

コンモドゥスが父親同様賢い人物であれば問題はなかったのですが、彼は不肖の息子というのも生ぬるい、とんでもない暴政を行ったため、在位十二年で暗殺されてしまいます。しかも、この暗殺には、彼の妻が一枚噛んでいたと言われています。

これは恐らくどこでも同じだと思うのですが、為政者の暗殺には、身近な人間が関わっています。彼らの協力がなければ、近寄ることが難しいからです。

実際、このコンモドゥスのときもそうですが、カリグラ（在位三七～四一）やドミティアヌス（在位八一～九六）が暗殺されたときも皇帝に近い人間が関わっています。

コンモドゥスの後、ペルティナクス（在位一九三年一～三月）、ディディウス・ユリアヌス（在位一九三年三～六月）とわずかな期間で皇帝が擁立されては暗殺されるという混乱が続きます。そんな混乱の中で、帝位に就いたのがセプティミウス・セウェルス（在位一九三～二一一）でした。

第2章で前述したセプティミウス・セウェルスという皇帝は、ローマ史上初のセム系の皇帝、つまり征服した異民族出身の皇帝でした。それまでのローマ皇帝は、すべて生粋《きっすい》のインド・ヨーロッパ系の人たちでした。

本章のテーマである「同時代性」に着目すれば、これはアメリカでワシントンが初代大統領になってから、異民族であるアフリカ系大統領バラク・オバマが登場するまでの期間、二百二十年とピッタリ符合しているということも、興味深い同時代性だと言えるでしょう。

このセプティミウス・セウェルスの後に来るのが、「三世紀の危機」と呼ばれる軍人皇帝の時代です。

三世紀の危機というのは、厳密にはマクシミヌス・トラクスが帝位に就いた二三五年から、ヌメリアヌスが暗殺される二八四年までの期間を指しますが、実際にはセプティミウス・セウェルスが亡くなった二一一年から、軍人皇帝時代は始まっていたと言っていいと思います。

この時代がいかに混乱していたかを示すのが、このわずか五十年の間に擁立された皇帝の人数です。ローマで正式な皇帝になるためには元老院の認可が必要です。その認可を受けた正式な皇帝だけでも二六人。二年に一人のペースですからかなり速いのですが、実際には、正式な皇帝のほかに軍団が勝手に擁立した皇帝が数多くいました。こうした無認可の皇帝を「僭称帝《せんしょうてい》」と言いますが、それも合わせると五十年の間になんと七〇人もの皇帝が乱立していたことになるのですから途轍《とてつ》もない時代です。

しかも正式な皇帝といっても、その多くは、勝手に軍団が擁立した僭称帝の力が大きくなっていき、元老院がその存在を認めざるを得なくなって認可したというものでした。ですから、政治的にも社会的にも非常に混乱しました。

これほど皇帝が乱立すると、民衆のあいだには、もう誰がなっても変わらない、という投げやりな空気が漂います。人々が政治に期待しなくなった中、社会的不安を抱えた民衆が心の拠り所《よりどころ》としたのがキリスト教でした。

イエスが磔《はりつけ》になったのが紀元三〇年頃、それから五賢帝の時代まではローマのキリスト教徒はほとんど増えていません。いなかったわけではありませんが、その数は人口のわずか一%以下。それが二三〇年頃から、急激に増えているのです。つまり、ローマにキリスト教が普及したのは、軍人皇帝の時代における社会的不安の増大が大きく関係していたのです。

コンスタンティヌス一世（在位三〇六～三三七）が、キリスト教を公認するミラノ勅令《ちよくれい》を出すのが三一三年。百年ほど前まではわずか一%ほどしかいなかったキリスト教徒が、このときには一〇%をはるかにこえていたというのですから、この間の急増ぶりがいかに凄まじいものであったかがわかります。

人々が異様なほど宗教に頼らざるを得なくなるほど、軍人皇帝時代の社会的混乱がひどかったということです。

ローマがそんな混乱の最中にあったちょうどその頃、東の漢帝国も危機を迎え

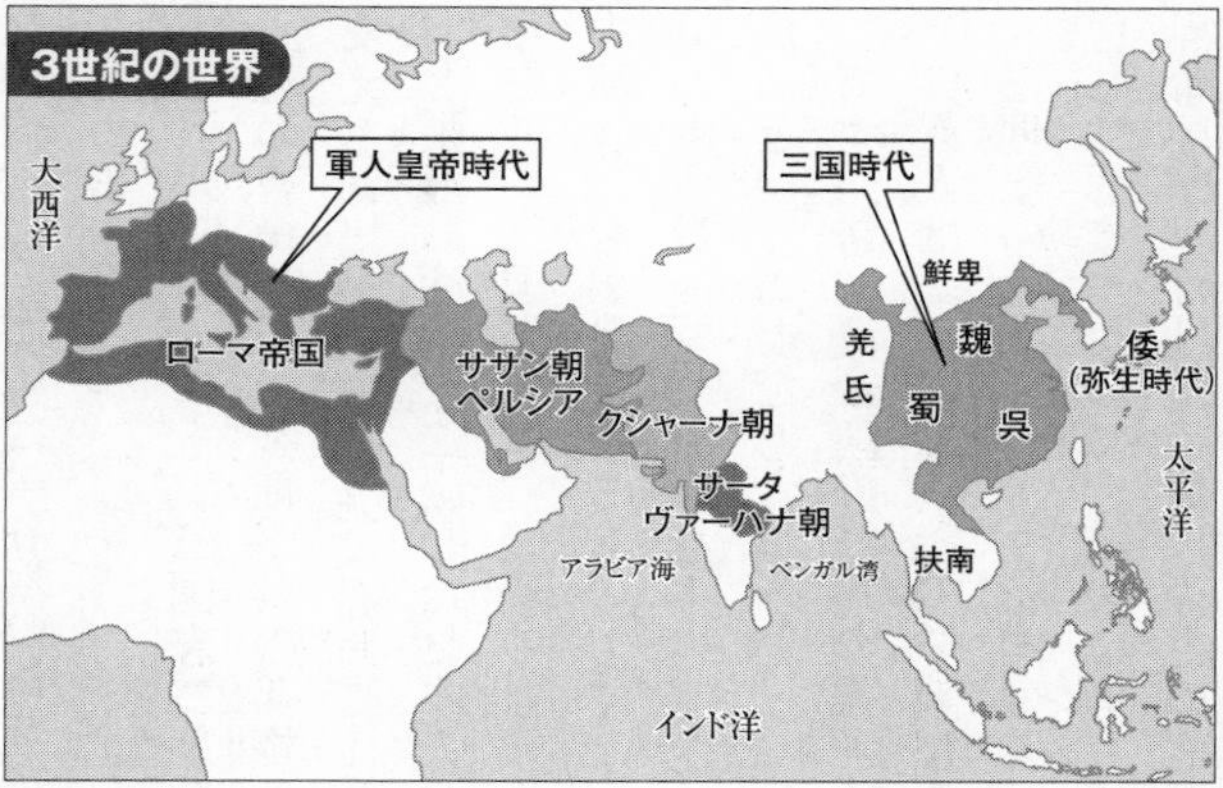

ていました。

劉邦が建てた漢帝国は、紀元八年、一五代目の皇帝を名乗るはずであった皇太子が、外戚《がいせき》であった王莽《おうもう》に実権を奪われたことで一時期、国号を「新《しん》」と改めます。

しかし、それも一代限りで、再び政権は漢王朝の血を受け継ぐ光武帝《こうぶてい》（在位二五〜五七）が取り戻します。このことから漢帝国は、劉邦から新までを「前漢」、光武帝以降を「後漢」と呼びます。

光武帝は優れた為政者でしたが、彼の孫にあたる粛宗《しゅくそう》（章帝《しょうてい》とも／在位七五〜八八）が十八歳の若さで即位した頃から政治は乱れ、農民暴動が各地で勃発。

一八四年から始まる黄巾の乱（太平道《たいへいどう》の

教祖張角《ちょうかく》を指導者に、各地の信者が起こした農民反乱）によって、国力は急激に衰え始めます。

これが日本人にも『三国志』として馴染みの深い、三国時代の幕開けです。魏《ぎ》の曹操《そうそう》、蜀《しょく》の劉備《りゅうび》、呉《ご》の孫権《そんけん》という三人の英傑、そして、それぞれの英傑を支える司馬懿《しばい》、諸葛亮《しょかつりょう》（孔明《こうめい》）、周瑜《しゅうゆ》ら軍師の活躍。さらに劉備配下の武将・関羽《かんう》と張飛《ちょうひ》の活躍。こうした日本人の大好きな三国志のエピソードは、陳寿《ちんじゅ》の書いた史書『三国志』に、幾多の冒険譚《たん》や伝説、さらには想像を加味した物語『三国志演義』を出典とするものですが、以前ある大家《たいか》にうかがったところ、フィクションも多数入っているものの、全体のストーリーはかなり正確に史実を踏まえているということでした。

ですから、漢帝国の終焉の様子を知りたいけれど、難しい歴史書はちょっと、という人は『三国志演義』を読むことをお勧めします。

三世紀の危機をローマ帝国は苦しみながらも何とか凌《しの》ぎましたが、漢帝国は滅亡してしまったので、結果は同じではありませんが、同じ年に生まれた東西の世界帝国が、ほぼ同時期に存亡の危機を迎えているということは、充分に興味深い歴史の同時代性の一つと言えると私は思います。

なぜ教養として「歴史の同時代性」を考えるのか

歴史の同時代性について語ると、中には「似たようなことが同時に起きていたからといって、そこに何の意味があるのか」と言う人もいます。

確かに実証史学の立場からすれば、そこには大した意味はないかもしれません。しかし、「世界史の視野」を身につけたいのであれば、こうした物事について考える価値は充分あると思います。

なぜなら、人というのは、自分に直接関係あることには関心が向きますが、遠い異国、ましてや異国の昔のことには、なかなか興味を持たないからです。

たとえば、ある時期から、日本人の多くが中東の問題に関心を持っています。それは石油の輸入に関わる問題あたりから始まり、パリでテロがあり、ロンドンでもいつ起こるかわからないということもありました。馴染みのある都市にはテロの不安がつきまとっています。同じようなことが、すぐに日本国内でも起きると思っている人は少数ですが、自分たちが知っている場所でリアルタイムに起きていることなので、関心が高くなったのでしょう。また、各地で起こる痛ましい戦争は、世界の状況を緊張させています。

でも、これが過去の話だったらどうでしょう。

自分の国のことであれば、前近代のことでも、古代のことでも、題材が身近にあることから興味を持つ人も多いのですが、異国のこととなると、どうしても関心は薄くならざるを得ません。

しかし、歴史というのは遠い古代の話だからといって、現代に関係していないわけではありません。今の日本が古代日本の延長線上にあるように、世界中のすべての国は、その国の過去の上に成り立っています。

そういう意味においてローマ史は、ヨーロッパ、北アフリカ、中東諸国の共通する過去と言っても過言ではない存在です。ですから、ローマ史を学ぶことは、ヨーロッパ史、アフリカ史、中東史を学ぶことでもあるのです。

たとえば、二〇〇〇年に公開された『グラディエーター』というアメリカ映画があります。この映画の舞台は、帝政ローマの中期、先ほど触れた皇帝コンモドゥスの頃です。主人公であるローマの将軍マキシマスは、皇帝マルクス・アウレリウスの実子コンモドゥスの怨《うら》みに巻き込まれ、奴隷に身を落としてしまいます。そして、奴隷として剣闘士団に売られたマキシマスは、コンモドゥスに復讐するため剣闘士（グラディエーター）として戦い、のしあがっていくのです。

この映画の中で、マキシマスが腕に彫った「ＳＰＱＲ」という入れ墨を消すシーンがあるのですが、ローマの歴史に詳しくない日本では、ほとんどの人がこのシーンに込められた意味がわからなかったでしょう。

「ＳＰＱＲ」とは、「Senatus Populusque Romanus／セナートゥス・ポピュルスクェ・ロマーヌス」の略で、「ローマの元老院（貴族）と民衆」を意味するものです。

それを自ら消すということは、マキシマスにとって、自分がローマ軍の兵士であった痕跡を消すこと、つまりローマとの決別を意味しているのです。

ローマの歴史を自分たちの過去の一部として持つ欧米人は、こうした解説などなくても、あのシーンを見ただけで、こうした意味がわかるのです。

欧米中心の国際社会で、日本人が教養を磨くためには、積極的に他国の歴史に学ぶことが求められます。

そして、自分たちと距離感のある他国の歴史、特に近代以前や古代といった遠い過去に学ぶためには、まずは関心を持つことが大切なのです。ザマの戦いと垓下の戦いが同じ年にあったということも、それ自体には史学的意味はないかもしれませんが、こうした類似や比較という座標軸を持つことで、世界の歴史に興味を持ったり、遠い過去の出来事が生き生きと感じられたりすることに役立つのではないか、と私は思うのです。

「アルファベット、一神教、貨幣」が同時代に誕生した

これは私の仮説ですが、アルファベットと一神教と貨幣の誕生にも、前二千年紀という世界的な同時代性が見られます。

確かに文字はもっと古くからありました。実際、文字自体は前三千年紀頃から、楔形文字やヒエログリフなど複数存在していました。前二千年紀になると、こうした初期の文字から「原《げん》シナイ文字」とか「原カナン文字」と呼ばれるアル

ファベットの原型が誕生します。

もともとの文字である楔形文字やヒエログリフは、文字の数が数百から数千もあったことがわかっています。いずれも文字の種類がとても多かったのです。それら多様な文字がシンプリフィケーション（簡素化）され、ある程度の広がりをもって人々に普及したのが前一〇〇〇年頃なのです。アルファベットが現在に近い二十数文字に統合されたのもこの頃です。

アルファベットのルーツとされる原カナン文字の代表は、古代地中海世界で使われたフェニキア文字です。つまり、意外に思われるかもしれませんが、現在のアルファベットのルーツは、古代エジプトの文字、ヒエログリフなのです。

ヒエログリフは種類が非常に多く、一般の人々が使えるようなものではありませんでした。そこであるとき「文字の改良」が行われたのです。

改良が行われたのは、エジプトがシナイ半島まで征服地を広げていた時期です。そうした征服地の工事現場では、フェニキア人やパレスチナ人といった土着の人々が作業員として使われました。そうしているうちに、彼らも文字の便利さに気づくようになります。

しかし、ヒエログリフは難しすぎて、そのまま使うことはできません。何とかこれを簡単にすることはできないか、ということで工夫を重ね、前二千年紀後半に生まれたのが二二文字からなるフェニキア文字です。

アルファベットの前身であるフェニキア文字には母音がありません。二二文字はすべて子音です。

日本語は子音だけを発音することがほぼないため、日本人にとっては違和感があるかもしれませんが、たとえば、アルファベットと同じくフェニキア文字をルーツとするアラビア文字は基本的に二八文字ですが、そのすべてが子音です。

もちろんアラビア語にも母音はあるのですが、通常の表記では省略されます。つまり、話し言葉には母音が含まれているけれど、文字に表すときには母音は省略されてなくなる、ということです。

このため、アラビア語の習得では、多くの人が発音とヒアリングで苦労すると言います。

たとえば、Lという子音は、組み合わせる母音によって「ラ・リ・ル・レ・ロ」と発音が変わります。でも、アラビア文字では母音を明記しないので、それを「ラ」と読むべきなのか、「ル」と読むべきなのか文字を見ただけではわかりません。アラビアの人たちは慣れているので、母音がなくてもわかるらしいのですが、日本人の場合は、かなりアラビア語ができる人でも悩むことがよくあるそうです。

さらに問題なのが、方言によって、同じ言葉でも異なる母音が使われているケースがあることです。

■フェニキア文字

アルファベットを含む現代の多くの文字体系の母体となった。

私の知人にエジプト史の専門家でアラビア語が堪能な人がいるのですが、同じエジプトでも行く場所によってアラビア語に方言があるので、話しているのを聞いただけでは何を言っているのか、まったくわからないことがよくあると言っていました。それでも文字の表記は同じなので、書いてくれれば完璧にわかるのだそうです。

私が文字の発生に同時代性を強く感じるのは、現在のアルファベットにつながるフェニキア文字（ヒエログリフ系）の流れのほかに、この時期には、もう一つ、楔形文字をルーツとする、アルファベットと言える二十数文字に簡素化された文字「ウガリット文字」が生まれていたことがわかっているからです。

この二つのアルファベットの原型の誕生時期は百年も違いません。

ちなみに、現在ウガリット文字の流れを汲むアルファベットが残っていないのは、地中海沿岸に位置していた都市ウガリットが、文字を開発したばかりの頃に、海の民（地中海沿岸を流浪《るろう》していた海の遊牧民）に一撃され、文字と共に滅亡してしまったからです。

これらのことから、前二千年紀の中頃、複雑・多様な文字を簡素化して使いやすくしようとする「アルファベット運動」と言ってもいいような動きが同時多発的に起きていたと考えられるのです。

同様に、多神教として誕生した宗教が、何百、何千という神々を一つに統合し、一神教が形づくられていったのも、この時期です。

宗教が生まれたとき、一神教はありませんでした。メソポタミアでもエジプトでも神々はたくさんいました。その数も一〇や二〇ではありません。数え方によっては、何百どころか、何千もの神々が存在していたのです。

そうした神々がたくさんいる中で、あるとき、本当の神と言えるのは、唯一この神だけだとして、ほかの神々を否定する考え方が生まれます。

このことについては、第5章で詳しく述べますが、二十世紀を代表する心理学者フロイトも、「なぜこのような人間にとって不自然なことが起きたのか」と、非常に興味を持って考察しています。

確かに、宗教だけの変化として考えると不自然かもしれませんが、これも前二千年紀後半に巻き起こったシンプリフィケーションの一つとして捉えると、さほど不自然なことではないのかもしれません。

つまり、あまりにも膨大な数にまでふくれあがった神々の体系の簡素化が起きた、ということです。ただし、シンプリフィケーションの過程には違いが見られます。

文字の場合は、膨大なものを分類・整理して最小限に集約されましたが、神々の場合は、全体にヒエラルキー（ピラミッド型組織構造／階層）ができ、その頂点に立ったトップだけを唯一にして本物の神だとして、残りをすべて切り捨ててしまったと見ることができるからです。

貨幣は時代的には少し遅れますが、前一千年紀前半、各地で物々交換や銅や銀の塊を量って行われていた取引が、東地中海のギリシア人居住域で貨幣を介した交換という形に統一されます。

交易は、もともと物々交換から始まります。

生ものは言うまでもありませんが、小麦のようなある程度保存が利《き》くものでも、やはり一年も二年も経てば腐ってしまうので、富として蓄えるには不向きでした。

そのため人々は、次第に価値があるが変質しない金属、主に銅や銀を仲介物として取引をするようになります。

金属は腐らないので便利でしたが、いざ取引するときには、対価に合わせていちいち量って切らなければならないという手間がありました。こうした手間を省くために、最初から一定の重さにそろえた金属をあらかじめつくっておけばいいのではないか、として生まれたのが貨幣です。

ですから貨幣も、交換価値体系の簡素化と言うことができるのです。

このように、アルファベットと一神教と貨幣は、歴史の大きな流れの中でほぼ同時に（厳密に言えば、それらの普及には数百年のズレはありますが）、また、それも東地中海世界で生まれ、普及していったと考えていいと私は思っています。

もちろん、歴史学においては、これはまだ私の仮説に過ぎません。しかし、こうしたシンプリフィケーションがほぼ同時期に起きているということは、人間の営みとして、ある程度文明が複雑化してくると、自然とそれを単純化しようという動きが生まれる可能性を示唆していると言えるのではないかと思います。

そして、こうした視点で歴史を俯瞰すると、実はこうしたシンプリフィケーションは、現代でも起きていることがわかるのです。

たとえば、二十世紀のコンピューターの急激な普及。これは、実は単なる技術の進歩の結果ではなく、こうしたシンプリフィケーションの動きの一つと見ることができるのです。

近代化以降、複雑化し続けた情報が、ある意味、閾値《いきち》に達したことで、0と1という単純な形に落とし込んで処理するということが起こった――それがコンピューターの誕生につながったのではないか、ということです。

ソクラテス、ゾロアスター、ウパニシャッド、釈迦、孔子の枢軸時代

前一千年紀にも、非常に興味深い同時代性が見られます。それは、思想の誕生です。当時の文明先進地域であるギリシア、オリエント、インド、中国で、ほぼ同時に思想や哲学が生まれているのです。

ギリシアではホメロスからイオニア自然哲学を経て、ソクラテスやプラトンに代表されるギリシア哲学が生まれ、オリエントでは、エレミヤなど『旧約聖書』に登場する多くの預言者が輩出され、現在のイラン辺りでは拝火《はいか》教の始祖ゾロアスターが生まれています。インドではウパニシャッド哲学が出現し、少し遅れて仏教の開祖・釈迦《しゃか》（ゴータマ・シッダールタ）が誕生しています。そして中国では、孔子、老子を筆頭に諸子《しょし》百家《ひゃっか》と称されるほど多くの思想家が輩出されてい

ます。

もちろんこれらの間には二百〜三百年のズレはありますが、いまだに人々の心を捉える思想・哲学が、なぜこの時期に一斉に花開いたのかということは、歴史学の一つの謎でもあるのです。

二十世紀のドイツの哲学者カール・ヤスパースは、この時代に着目し、それを「Achsenzeit／枢軸時代」と呼びました。

彼が「軸」と称したのは、この時代に花開いた思想が、どれもその後の人類の思想の基本となるものだからです。

私は、このことは前二千年紀に起きたアルファベットと一神教と貨幣の誕生と切り離して考えられるものではないと思っています。

文字が簡素化され、広く人々に普及したことによって、民衆の中にも読み書きができる知識階級が生まれたことが容易に想像できます。

また、貨幣の誕生が交易を盛んにしたことで、人々はより広範囲の情報を得られるようになったことも無関係ではないでしょう。

さらに、一神教の登場は、その背景に神々のヒエラルキーが存在しているので、人々の思想や価値観に大きな影響を与えたと考えられます。さらに超絶した神というものは、人々を、身近に感じていた神々の世界が遠ざかったような気にさせたのではないでしょうか。人々は、それに代わる生き方の指針を求めるようになったのかもしれません。

さまざまな情報がより広範囲で比較されたり混ざり合ったりすると、その中から新たな観点や思考が生まれてきます。そうして生まれた観点や思考は、文字によって記録されることで、より遠くの地域の人々や、後の時代の人々の思考にも影響を与えることにつながります。

現在の歴史学では、アルファベットと一神教の登場と貨幣の誕生というのは、それぞれ別々に取り上げられているので気がつかないのですが、私には、これらはどれも、当時の人間の考え方の同じところに根ざしているものと思えてなりません。

そして、この前二千年紀後半からのシンプリフィケーションの動きがあったからこその、枢軸時代の到来なのではないかと思うのです。

マルコ・ポーロをこえる、東西発見の功績を成し遂げた人物とは？

同時代性は、なにも古代だけに見られるものではありません。中世や近代などでも、いろいろな類似性を持った物事が、同時期に起きています。

その中の一つをご紹介しましょう。

それは十三世紀の「東西発見」です。

私たちはイタリア人、マルコ・ポーロ（一二五四～一三二四）が、ヴェネツィア商人であった父と共に一二七四年に元《げん》（中国）の都にやってきたという話はよく知っています。有名な『東方見聞録』です。

しかし、そのわずか二年後に、元の初代皇帝フビライの勅命を奉じて、ウイグル人のラッバーン・バール・サウマー（一二二五頃～一二九四）が、聖都エルサレムに向かって旅立ったことはほとんど知られていません。

バール・サウマーは熱心なキリスト教ネストリウス派の信徒だったので、この旅は勅命であると同時に、サウマー自身にとっては信仰に基づく巡礼の旅でもありました。

サウマーは、まず自分が信仰するネストリウス派の法王（総主教）に謁見《えっけん》するため、モンゴル系のイルハン朝（イル＝ハン国）が支配するバグダードに向かいました。バグダードでネストリウス派の法王に謁見した後、サウマーは再び西を目指しますが、その進路に位置するシリアに君臨するイスラム勢（マムルーク朝）に行く手を阻《はば》まれ、しばらくバグダードに足止めを余儀なくされます。

そうこうしているうちに、ネストリウス派の法王が逝去、葬儀に参列したこともあり、サウマーに同行していた弟子のマルクが次期法王に推挙されてしまいます。それはマルクという弟子が、モンゴル支配層の由緒正しき貴族の血筋だったからです。

さらに数年が過ぎ、イルハン朝の君主が息子のアルグンに代替わりしたことで、事態は再び動き出します。キリスト教徒を厚遇したアルグンが、イスラム勢力を抑え、ヨーロッパのキリスト教勢力と軍事同盟を結ぶことを目指して動き出したのです。

この計画を成し遂げるという大任を託されたのが、ネストリウス派の新法王マ

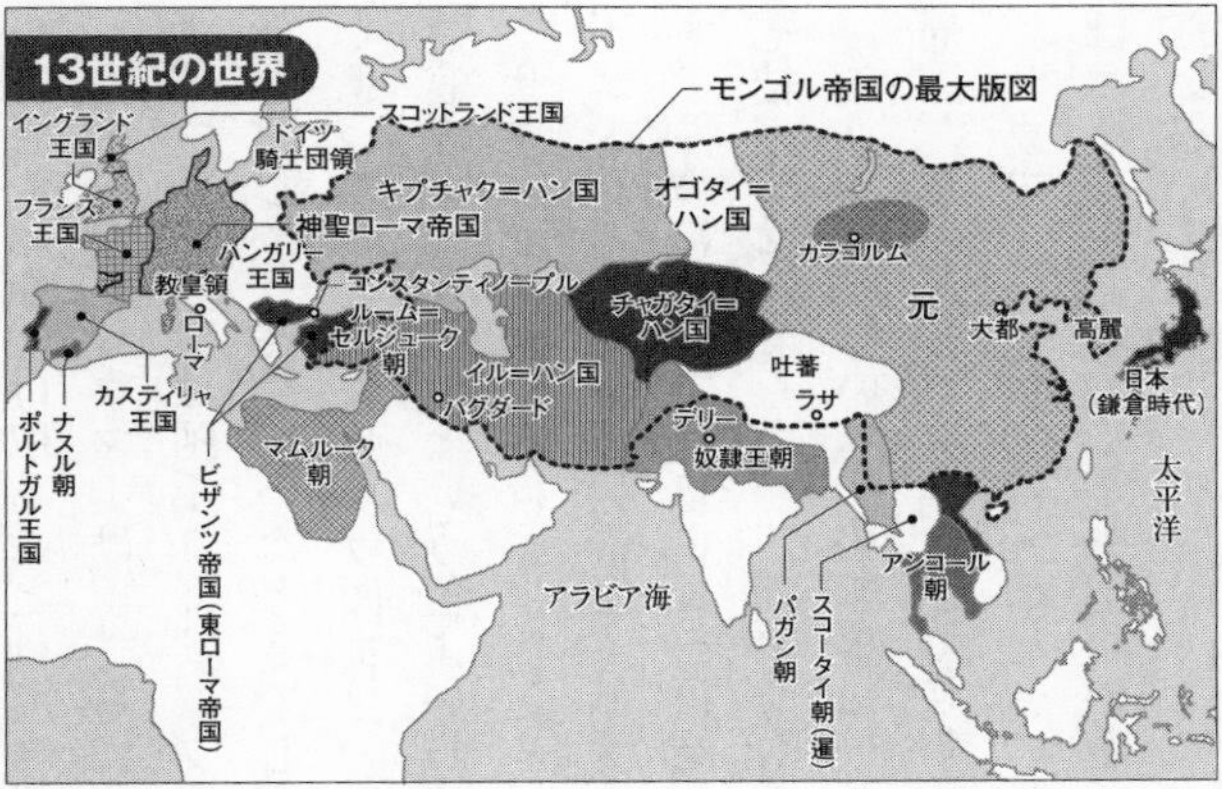

ルクの師という立場になっていたサウマーでした。

サウマーは、ビザンツ皇帝とローマ教皇に宛てたアルグンの信任状と勅書、さらにヨーロッパ諸国の国王に渡すお土産《みやげ》を持って西に向かいました。

バグダードから黒海沿岸までは陸路、そこから先は船でコンスタンティノープル（現在のイスタンブール）へ入ったサウマーは、ビザンツ皇帝アンドロニコス二世（在位一二八二〜一三二八）に謁見し、歓待を受けた後、さらにローマへ向かいました。

しかし、ローマに着くと運悪く教皇ホノリウス四世は他界、新教皇もまだ未定で、教皇庁の対応は好意的だったものの、明確な意思表示を受け取ることはできませんでした。

先を急いだサウマーは、さらに西へ進み、ジェノヴァを経てフランスに入ります。フランスでは国王フィリップ四世に謁見。当時ヨーロッパでは十字軍遠征が幕を閉じようとしていたときでしたが、いまだ衰えないイスラムの勢いを苦々しく思っていたフィリップ四世は、「アルグン殿に回答する折りには、こちらから高官を派遣する」という色よい返事をしています。

サウマーは一カ月ほどフランスに滞在していますが、その間にはイングランド王エドワード一世(在位一二七二〜一三〇七)にも謁見し、歓待を受けています。さらに帰途ではローマを再訪し、新教皇ニコラウス四世と面会、軍事同盟こそ結べませんでしたが、手厚くもてなされています。

こうして難しい務めを無事に果たしたサウマーは、一二八八年にバグダードに帰国。そのままバグダードで晩年を過ごしました。

サウマーは、最初は元の皇帝の勅命を奉じて西へ向かったわけですが、彼自身はウイグル人なので、中国語のネイティブではなく、恐らく何カ国語かできたのだと思います。

今の中国政府は、ウイグル地区をうまく制御しきれず、さまざまな問題が起きていますが、唐《とう》や元などかつて広大な版図を誇った「帝国」の時代には、民族に拘泥《こうでい》せず優秀な人材をどんどん登用し、活用していました。その点に関しては、むしろ今の政府より柔軟な帝国運営をしていたと言えます。

ついにモンゴルへ帰ることのなかったサウマーですが、何らかの形で、元に報告はしていたのだと考えられます。というのも、彼のヨーロッパ歴訪をきっかけに、モンゴルから遣欧使節が次々と訪れるようになり、ヨーロッパからも東方への宣教師派遣が盛んに行われ、東西交渉が国家という枠をこえ、本格化していっているからです。

日本は近代化の過程で、ヨーロッパの思想が入ってきたために、どうしてもヨーロッパ中心に物事を見てしまう傾向があります。世界史もこれまでは西洋中心だったため、どうしてもマルコ・ポーロの功績ばかりが注目されがちですが、東アジア世界においては、実はサウマーの功績のほうが大きかったのです。

でも、最近少しずつですが、サウマーをはじめ、これまであまり知られていなかった東アジアの人物が注目され、再評価されるようになってきています。

十五世紀に活躍した鄭和《ていわ》（一三七一〜一四三四）もその一人です。

鄭和は明《みん》（中国）の永楽帝《えいらくてい》（在位一四〇二〜一四二四）に仕えた武将です。彼は皇帝の命《めい》を受けて、インドからアラビア半島を経てアフリカにまで及ぶ大航海を成し遂げた人物です。明の正史『明史』には、この航海のことを「西洋下り」と記録しています。

インドやアフリカ航路というと、私たちはヨーロッパからアフリカを経て、インドに至る航海をしたポルトガル人ヴァスコ・ダ・ガマ（一四六〇〜一五二四）を思い出しますが、ヴァスコ・ダ・ガマの航海は一四九七年に出航、インドに到達したのが翌一四九八年。これに対し、鄭和が最初にアフリカに到達した第四次航海は一四一三年出航、一四一五年に帰国しているので、ヴァスコ・ダ・ガマとほぼ同じルートでありながら八十年以上も鄭和のほうが早いのです。

このように同じような時代に同じようなことが行われていた中で、アジア人の業績の価値が最近になって再評価されてきているのは、実は日本の東アジア研究が進んできた成果でもあるのです。

今、日本の東アジア研究は、世界のトップレベルに位置しています。ヨーロッパよりももちろん進んでいますし、実は中国よりも日本のほうが中国史の研究は進んでいるかもしれません。これには、中国は政府の統制があるので、厳密な意味での真実を追究することが難しいということも影響しています。

歴史の真実をしがらみなく自由に追究できる日本人であることに感謝しつつ、同時代性ということにも目を向けて見ていただきたいと思います。そうすることで、これまで見えてこなかった歴史の真実に触れることができるのです。

「産業革命」はなぜイギリスで起き、アジアで起きなかったのか

世界史における同時代性と言えるものが、十八世紀後半にも見られます。

しかし、これは今までご紹介したものとは少し違い、同じようなことが同時に起きた、というものではありません。

結果から言えば、同時に同じ出来事は起きなかったのですが、その出来事が起きる条件が、各地で同じように整っていた、という意味での同時代性です。

ここで注目する出来事とは、「産業革命／Industrial Revolution」です。

みなさんもよくご存じの通り、産業革命は十八世紀のイギリスで起きた近代世界経済の出発点と言える出来事です。しかし、なぜイギリスでだけ産業革命と称されるほど画期的な工業化が開花したのかと言われると、論点が錯綜《さくそう》していて、専門家の中でも明快な回答は見られません。

これまでの通説では、ヨーロッパには、アジアやアフリカ、南北アメリカなどの植民地、さらには同じヨーロッパの下層階級から搾取《さくしゅ》した資本の蓄積があったこと。さらにはヨーロッパ以外の地域では伸び悩んでいた農業生産が、西ヨーロッパでは大きく増大していたことが指摘されていました。

ところが、当時の環境を世界レベルで見ていくと、一般的に言われているほどヨーロッパとそのほかの地域に大きな差がなかったことがわかってきたのです。

特に産業革命が起きた十八世紀に焦点を当ててみると、市場傾向も労働力も技術革新も、出生数と労働配分などの経済指標を比べても、西ヨーロッパと東アジアの人口密集地域では、ほとんど似たり寄ったりなのです。

つまり、ヨーロッパの生産力がほかの地域と比較して著《いちじる》しく高かったことを示すものは何もなかったのです。

では、なぜイギリスでは産業革命が起き、アジアでは起きなかったのでしょうか。

この素朴にして難しい疑問に新しい視点でアプローチしたのが、アメリカの歴史学者ケネス・ポメランツ（一九五八〜）です。彼は『大分岐――中国、ヨーロッパ、そして近代世界経済の形成』（名古屋大学出版会）の中で、それぞれの土地が持っていた生態環境の差に着目しています。

これは最近話題の地政学の一つと言ってもいいと思うのですが、イギリスはほかの地域にはなかった幸運に恵まれており、その幸運のお陰で産業革命に至ることができたと言います。

その幸運の一つは、ロンドンなど、もともとある程度人口がたくさんいる地域の近くに、エネルギー源となる良質の石炭がたくさん産出されたことです。つまり、エネルギー資源の獲得です。

実は、産業革命前夜、世界では人口の増加に伴い、エネルギー資源としての木材が不足していたのです。実際、十六世紀以降の数百年の間に、イギリスでも中国の工業地帯である長江デルタ地域でも、燃料用木材の価格は七倍にも高騰していました。

こうした苦しい状況の中、イギリスでは木材に代わるエネルギー源として石炭が利用できたのです。

新たなエネルギー資源を獲得したことで、イギリスでは生産性があがっていきます。そうすると、自ずと人々の生活水準があがり、人口が増加し、やがて人口過剰になっていきます。そのため、資源があるからといって生産物をつくりすぎてしまうと問題が生じてしまう、というのが当時の社会のセオリーでもありました。

ところが、ここでもう一つの幸運がイギリスに微笑《ほほえ》みます。

それが遠隔地の植民地の存在です。

これまで植民地は、余剰生産物をさばく市場としての価値ばかりが注目されてきましたが、実際には、本国の余剰人口を移民させられるというメリットも、とても大きかったことがわかってきたのです。

つまりイギリスは、作業地の近郊でエネルギー源としての石炭が手に入ったことと、植民地の拡大のお陰で巨大な市場が手に入ったこと、さらに土地による人口の制約が外れたことで、人口が激増しながらも、一人当たりの消費量も上昇するという奇跡のような状態が生まれ、産業革命が起きたのです。

産業革命というと、何よりも蒸気機関の発明による動力の刷新が東西の明暗を分けたように言われますが、蒸気の熱を機械を動かすエネルギーに活用する技術自体は、実は古代地中海世界ですでに使われていました。しかし、ローマ帝国でも産業の近代化は起こりませんでした。

そう考えると、技術よりも生態環境の違いのほうが大きかったと言えるのではないかと思います。

イギリスを中心とする西ヨーロッパが、こうした生態環境の恩恵を受けたのに対し、アジアは、産業革命を起こすだけの力を持ちながら、有利な条件に恵まれなかったために後《おく》れを取ってしまった。そして、その後れを取り戻せないまま十九世紀の帝国主義時代に突入し、さらにその差を広げられてしまうことになったのです。

しかし、もし産業革命が起きたのが、ローマ帝国や漢帝国のときだったら、これほど大きな差にはならなかったでしょう。五十年や百年のズレだとしても、それぞれの帝国は、帝国として世界に君臨することができたでしょう。

でも、十八世紀では、ほんの五十年程度の差が、決定的とも言える大きな差になってしまいました。そのような比較史の観点に立てば、そこでついた差をアジアは二十一世紀になった今も、まだ埋められていない感があります。

事実、グローバル化と言われていますが、それはほとんどすべて英語圏（英米）を中心としたグローバル化です。これはやはり、イギリスとアメリカという英語圏の国々が相次いで先進したため、彼らにとって圧倒的に有利な形でグローバル化が推し進められてきた結果です。

ポメランツは、自らの著書に『THE GREAT DIVERGENCE／大分岐』というタイトルをつけましたが、産業革命を可能にした生態環境のわずかな違いは、まさしく西ヨーロッパと東アジアのその後の明暗を決定づける大分岐点だったと言えるのです。

第4章

なぜ人は大移動するのか

ゲルマン民族、モンゴル帝国、大航海時代から難民問題まで

人類史は民族移動とともにある

民族移動は、日本では馴染みがありませんが、世界史ではよくあることです。歴史は古く、人類史とともにあると言っても過言ではありません。

メソポタミアに最初に文明を築いたシュメール人は、実はいまだに民族系統がわからない謎の民族です。以前は彼らもセム族だと考えられていたのですが、研究が進むにつれ、セム族ではないことが明らかになったのです。

シュメールには楔形文字で書かれた史料が残っているのですが、前二十四世紀にアッカドを建国したサルゴン王に攻め込まれて以降、セム語系が大きな勢力になりました。

発掘が始まった当初、こうしたセム語系の言語で書かれた文書ばかりが発見されたために、アッカドに先行するシュメールも民族的に同じセム語系だと思われていました。

ところが、発掘・研究が進むうちに、楔形文字で書かれているのに、どうしても解読できない文書が発見されるようになり、研究者を悩ませるようになりました。実は、そうした解読できない文書こそ、シュメール語の文書だったのです。

これはたとえるなら、日本語をアルファベットを使って記録したようなものでした。アルファベットを使っていても、言葉は日本語なのですから、英語やドイツ語の知識で読もうとしても読めません。楔形文字の記録でこれと同じことが起きたことで、やっとシュメール語がセム語とは異なる言語だということが明らかになったのです。

シュメール語は、いわゆる「てにをは」がある言葉で、これはコーカサスかモンゴル、あるいは日本語やトルコ語に近い言語と考えられます。つまり、言語系統で言えば、シュメール人は、われわれ日本人に近い民族だったと言えるのです。しかも、彼らは日本人と同じ黒髪だったと言われています。

ですから、メソポタミアの研究史で言うと、最初、十九世紀にアッカド（セム語系）以後の歴史が発見されて、研究を進めているうちに、なんだかよくわからない文書が出てきたことで、やっと二十世紀になってからアッカドに先行するシュメールの存在が明らかになった、という流れなのです。

先行する異民族がいたということは、シュメールからアッカドに移行する際に、やはり侵略という形で大きな民族移動があったことを示唆しています。そして、同じようなことは、そのあとのバビロニア民族の登場のときにも起きています。さらに、『旧約聖書』に出てくるモーセの出《しゅつ》エジプトも、一種の民族移動と言えます。

前二十世紀頃になると、今度はいわゆるインド・ヨーロッパ語族が入り込んできます。このとき入ってきたインド・ヨーロッパ語族の末裔《まつえい》が、今のイラン人です。だから、同じ中東に住み、同じようにイスラム教を信仰しているのに、イランとほかの国々の間には対立が見られるのです。こうした対立は、民族に発する問題なので結構根深いものです。

この対立についてよく、同じイスラム教でもシーア派とスンニ派では違うからと言われていますが、実はそれだけではないのです。もちろん宗派にまつわる対立もあるのですが、彼らの間には、インド・ヨーロッパ語族とセム語系という根本的な民族の違いがあるのです。

イラン人は中東のほかの国々より、むしろヨーロッパの人たちのほうが民族的には近いので、互いに理解しやすいのではないかと思われます。

実際、古代史を研究していると、セム語系の国であるアッシリア帝国と、インド・ヨーロッパ語族の国であるペルシア帝国とでは、頭の中の構造が違うと言ってもいいほどです。そうした異なる民族が、覇権を争いあいながら、頻繁に移動していたのです。

この地域の民族移動は、前一〇〇〇年前後にさらなる激動期を迎えます。

この時代、「大国」と言える国は存在しません。その後三百年ぐらいのあいだは、ヒッタイトとか海の民とか、いろいろな小さな勢力がしのぎを削りあい、その中から全オリエントを支配するアッシリア帝国が出てくるのです。

さらに、民族移動という意味では、フェニキア人やギリシア人が地中海の各地に出掛けていったのもそうです。

その後、小規模な民族移動が各地で繰り返されながら、ローマ帝国の後期になると四世紀から五世紀にかけてゲルマン民族の大移動が起きます。ゲルマン民族の大移動は、西ローマ帝国滅亡の一因となり、西ヨーロッパ各地にゲルマン国家を生み出し、「古代世界」は終焉を迎えるのです。

民族移動にはパターンがある

人類史とともに始まった民族移動は、その後も国土を失ったユダヤ人の放浪や、新大陸発見に伴う人々の移住、その後の奴隷貿易や戦争難民など、さまざまな形で今に至るまで続いています。

こうした民族移動は、なぜ起きるのでしょうか。

この問いについては、「出力」と「入力」、それぞれの問題を考えることが大切です。

まず、出力側の問題として前近代で最も多いのは食糧不足です。

食糧不足の原因は一つではありませんが、多いのは人口の増えすぎと、寒冷化や乾燥化といった気候変動です。

今は温暖化が問題になっているので、暖かいことばかりがマイナス要因として取り上げられていますが、近代以前は寒冷化のほうが問題としては深刻でした。

近代以降は、ビニールハウス内で作物を栽培したり、品種改良で寒さに強い作物をつくったり、暖かい地域で栽培されたものを寒冷地に運んできたりすることもできますが、近代以前は、そうしたことができなかったので、人々が飢えないためには温暖な地域に移動するしかありませんでした。

同様に、乾燥化も非常に深刻な問題でした。第1章で述べましたが、四大文明が大河の畔で興ったのは、乾燥化により人々が水を求めて水辺に集住したからです。

その典型がナイル川の畔に興ったエジプト文明ですが、エジプト文明が興ったアフリカ大陸北部は、今は広大なサハラ砂漠が広がっていますが、五千～六千年前までは緑豊かな土地でした。

そのグリーンサハラが砂漠化してしまったのは前五〇〇〇年頃、気候変動によって雨が降らなくなったことが原因です。

このときの気候変動は大規模なもので、世界各地で同様の乾燥化が起きました。その結果、それまで周囲に散らばって暮らしていた人々が水の豊かな大河の畔に集まり、都市ができ、水を管理するために生まれたのが、いわゆる「四大文明」なのです。

もうお気づきだと思いますが、このように条件のいい場所に人々が集住するのが、気候変動による民族移動のパターンです。

こうした気候変動に伴う移動は、少人数から始まります。乾燥化の場合は水源を求めて、寒冷化の場合は暖かい土地を求めて、今自分たちがいる場所より条件のいいところに向かうという形で移動していきます。でも、大規模な旱魃《かんばつ》や飢饉《ききん》が起きると、定住していた人たちが一気に動くので、「民族の大移動」と言われるような大規模な移動が生じます。

出力には、ほかにも、いろいろな要因があります。

たとえば、信仰の弾圧や奴隷売買のような人為的な強制移動。そして、現在もシリアなどに見られる戦乱による難民などです。

こうした場合は、その場所が嫌で出ていくわけではありません。戦争によって国土が荒れたり、命の危険を感じたりして、仕方なく土地を離れていくのです。

受け入れる側の事情は、さまざまです。

受け入れ側の地域が国土的に余裕があるかどうかはもちろん、政治的に安定しているかどうか、宗教に対する寛容性を持っているかなど、環境によっても許容量は大きく違うのですが、大規模な移動が起きると、多くの場合、争いに発展します。

移動した人たちの中には、どこにも定住せず、転々と流浪する人たちも出てきます。いわゆる「遊牧民」です。こうした遊牧民の中には、前二千年紀末の海の民のように、陸を離れ、船で移動しながら、必要な物資は都市を襲って奪うという生活をする人々も出てきます。

いずれにしても、民族の移動は、紛争の火種となるケースが多いと言えるでしょう。

しかし、労働力が不足している地域では、受け入れることがメリットになるケースもあります。

実際、かつてアメリカ大陸は、フロンティアの開発や金鉱の掘削のために多くの人手を必要としていたため、喜んで入植者を迎え入れました。そうしてアメリカ大陸は、多くの人々を受け入れることで経済力をつけ、イギリスからの独立を果たしたのです。

アメリカがイギリスからの独立を宣言した一七七六年頃、イギリスで今も読み継がれている名著が出版されています。

エドワード・ギボンの『ローマ帝国衰亡史』です。

この本は、イギリスで大ヒットを記録しました。

確かに、この本は名著というにふさわしい格調高い英語で綴《つづ》られています。あまりにもその英語が素晴らしいので、私は学生たちに「英語を勉強するなら、ギボンで勉強しろ」と言っているほどです。

でも、この本が大ヒットしたのは、文章の素晴らしさだけが理由ではありません。実は、当時あの本が流行《はや》った最大の原因は、イギリスが自国の衰退を危惧していたからなのです。

植民地だったアメリカが力をつけて独立したことで、イギリス人たちは、自分たちの国力が削がれていくような気持ちになったのだと思います。

実際には、それほど心配することはなく、その後イギリスはビクトリア王朝のもと大英帝国の繁栄期を迎えるわけですが、少なくともアメリカ独立戦争があった時期のイギリスでは、自分たちが弱体化しているのではないかという恐れを抱いていた人がとても多かったということです。だからこそ、ローマ帝国の衰亡に学ぼうという気持ちになり、本の爆発的ヒットにつながったのです。

しかし、アメリカの成長は、実は、イギリスにとって幸運な一面がありました。というのは、それまでイギリスに来ていたスコットランドやアイルランドにいた貧しい人々が、新興国であるアメリカに出稼ぎに行き、そのまま定着したことで、イギリスで起きていたであろう混乱の多くが、アメリカに吸収されたからです。

その後、アメリカは、ご承知のように、今に至るまで世界中から移民を受け入れ続けています。その結果、確かに国は成長しましたが、なくならない人種差別問題に加え、貧富の差や、最近は母国語であるはずの英語を話せない人が増えてきているという問題も出てきています。

イギリス人は大英帝国の行く末をローマ帝国の終焉に重ねて危惧しましたが、私はむしろ、ローマに学ぶべきは今のアメリカだと思います。

とはいえ、ローマとアメリカには決定的な違いもあります。それは、ローマは自分の領土をどんどん拡大していくことで大帝国をつくり上げましたが、アメリカは手つかずの広大な土地を開拓することで帝国化したということです。

開拓するためには人手が必要なので、移民はアメリカにとっても、人口過剰に苦しむ周辺諸国にとってもメリットがありました。

しかし、その広大なアメリカも今や開発し尽くされ、これ以上の移民はデメリットになるところまできています。

アメリカが大国であり続けるためには、どうすればいいのか。今こそローマに学ぶときなのではないかと思います。

古代の地中海世界は「近代的」だった

十五世紀半ばから十七世紀半ばにかけて、西ヨーロッパの国々がアジア・アフリカ・アメリカ大陸に植民地を持つきっかけとなった、大航海を行った時代を「大航海時代」と言います。

日本では教科書にも使われている言葉ですが、これは一九六〇年代に日本のマスメディアがつくりだした言葉です。英語圏では「Age of Discovery（大発見時代）」、学術的には「大交易時代」という言葉が使われます。

大交易時代という言葉からもわかるように、なぜこの時代に命がけの大航海が行われたのかというと、交易が目的でした。

私たちは交易というと陸で結ばれた世界にばかり目が行きがちですが、実は海のほうが一度に大量に物資を輸送することができるうえ、その移動速度も速くなります。ですから、この時代に限らず、船を用いた交易は古くから盛んに行われていました。ローマ帝国などは、まさに古代海域交易の最たるものでした。

ローマ帝国、中でも「パクス・ロマーナ／ローマの平和」と言われる時代の後期、五賢帝の時代のローマは、十八世紀後半にイギリスが産業革命を起こすまでの社会の中では、最も豊かで安定した社会だったと言われています。実際、イギリスの研究者の中には、イギリスの下層民よりも、ローマの奴隷のほうが豊かだったと言う人までいるのです。

まあ、これは極端な意見ですが、そう言われるほど、ローマのあの時期は安定した豊かな社会だったということです。そして、そのローマの豊かさを支えていたものの一つが、地中海を中心とする海域世界（安全な海）だったのです。

どういうことかというと、私はよく「古代地中海世界の近代性」と言うのですが、ごく簡単に言えば、海を安全に利用することができた、ということです。

ローマのことをよく知らない人は、近代になって初めて海域世界が実現したと思っていますが、実は、海域世界はこれよりももっと古い時代から存在しており、むしろローマの滅亡によって失われた海域世界が、近代になってやっとローマのレベルに追いついたと思っています。

つまり、ヘレニズム期からローマ帝国の時代というのは、地中海という限られた規模ではありましたが、安全に移動できる海域世界がすでに存在していたということです。

当時の地中海は、ローマの支配が安定していたので海賊も少なく、内海なので大西洋や太平洋に比べれば穏やかな海域でした。羅針盤《らしんばん》はまだ存在していませんでしたが、地中海は島が多いので、陸づたいに安全な航海ができました。陸の少ない場所を航海するときは、夜に星を見ながら航海しました。彼らは星座の知識を持っていたので、星が見える夜であれば、島という目印がなくても方向がわかり、安全な航海ができたのです。

こうしてローマでは、海を活用することで、多くの物資を安く、速く、しかも安全に運ぶことができたのです。そしてこのことが、ローマの生活レベルを、十八世紀まで人類はあのレベルまで達することができなかった、と言われるほど高いところにまで押し上げていたのです。

産業革命のところでも触れましたが、ローマではすでに蒸気機関の原理も知られており、小規模ながらも活用されていました。事実、たくさんの科学者がいたアレクサンドリア（エジプト）の神殿には、かがり火を焚《た》くと、その炎の熱を利用してお湯が沸き、そこで生まれた蒸気の力を利用して神殿の扉が開く「自動ドア」のシステムが存在していたことがわかっています。

もちろん、当時の民衆は蒸気機関の原理など知らないので、途轍もない神秘的な力だと思っていたようですが、科学者たちはきちんと原理を理解した上で活用していたのです。

この話をすると、ではなぜローマ人は産業革命のときのように、この力をほかのところで利用しなかったのか、と聞かれるのですが、私は奴隷がいたからではないかと考えています。

奴隷がいたために、そこまでの技術革新をする必要がなかったということです。労力が必要なことは、苦労してシステムを構築するまでもなく、奴隷にやらせれば済んでしまった。それが、知識を持ちながらローマ帝国で産業革命が起きなかった理由だと思います。

大航海時代による大規模移民

ローマの衰退とともに一度失われた海域世界が再び登場するのは十世紀以降。地中海ではイタリアのヴェネツィアやジェノヴァの商人たちが、インド洋ではムスリム（イスラム教徒）の商人たちが、南シナ海では中国の商人たちが、それぞれ活躍したことで航路が広がっていきました。

特に地中海では、十字軍があったことと、マルコ・ポーロ（一二五四～一三二四）の『東方見聞録』によって東への知識がもたらされたことが大きく影響しました。

また、この頃になると、オスマン帝国が圧迫を強めてきたことで、絹や香辛料など、東のほうの物資を手に入れたいのに陸路が活用できなかったことも、商人を海に向かわせた一因となっています。

さらに、フェルディナンド・マゼラン（一四八〇〜一五二一）率いる船団の航海によって地球が丸いということが証明されたことで、大航海（大交易）時代は本格化していきます。なぜなら、無理に東に進まなくても、西のほうに進んでいけば、東洋に着くことがわかったからです。

イタリアを中心とした大航海は、やがてその知識とともにイベリア半島に伝わります。そうして航路を発見してさまざまな地域とつながれば、いろいろな珍しい物資が手に入り大きな利益につながるとわかったことで、熱狂的な大航海ブームが到来します。

このブームは南ルートと西回りの東ルートに大別されます。

南ルートは、イベリア半島からアフリカの西海岸沿いを南下するものです。このルートではヴァスコ・ダ・ガマが喜望峰《きぼうほう》を回り、インドの西岸に位置するカリカットに到着するルートを見いだし、香辛料の直接取引を成功させます。

もう一つの西回りでインドを目指す航路では、思わぬ大発見が待っていました。そう、新大陸（アメリカ大陸）の発見です。

新大陸の発見は、やがて大量の移民へとつながっていきました。新大陸にはわずかな先住民しかおらず、豊かで広大な原野が手つかずで残っていたからです。

もちろん先住民からすれば移民は歓迎すべきものではありませんでしたが、出国するヨーロッパ諸国にとっては、自分たちが抱える人口過剰や、物資の調達という問題を一気に解決する大きな福音《ふくいん》として受け取られたのです。

奴隷制度は人為的な民族移動となった

アメリカの人口を増やしたのは、自ら望んで新天地にやってきた移民だけではありませんでした。

望まないのに強制的に連れてこられた人々もたくさんいました。アフリカから労働力として連れてこられた「奴隷」です。

これは、もともとアフリカを植民地としていたイギリス人が始めたことでした。制海権を握っていた彼らが、植民地であるアメリカを開拓するために、アフリカから奴隷として黒人を大量に連れていくということが行われたのです。

これによって、一七九〇年には七〇万人弱だったアメリカの黒人奴隷の数は、一八六〇年には六倍近い四〇〇万人弱にまでふくれあがりました。

しかし、十九世紀半ば頃から、本国イギリスで、人権思想の高まりから奴隷制は廃止すべきだという動きが広がっていきます。

この時代のイギリスでは、国益のためであればどんなことでもするべきだという、ある意味他民族の人権を無視する人々と、そういう考え方はイギリス人として恥ずべきものだとして反対する人々の勢力が拮抗《きっこう》していました。

奴隷制とは直接関係はありませんが、イギリスが中国清王朝と戦ったアヘン戦争（一八四〇～一八四二）の際も、開戦か否かを決定する審議は、賛成二七一票、反対二六二票という僅差《きんさ》で開戦に踏み切っています。

このときも反対する人々は、「儲かるからといってアヘンなんかを売りつけておいて、今度はそれが侵害されたからといってその国を攻めるというのは、イギリス人の恥だ」と主張しています。

奴隷制度においても、同じような形で反対意見があったのです。こうした反対運動は、徐々にアメリカにも伝わり、浸透していきました。そして、その動きが実を結ぶのが、南北戦争（American Civil War／一八六一〜一八六五）における北軍（アメリカ合衆国）の勝利でした。

第一六代アメリカ合衆国大統領エイブラハム・リンカーン（任期一八六一〜一八六五）は、まだ戦中の一八六三年一月一日、南部が支配する奴隷の解放を宣言しました。

この「奴隷解放宣言／Emancipation Proclamation」は、奴隷制度を完全廃止した後の合衆国憲法とは少し異なるものですが、この宣言でリンカーンが奴隷解放の意思を明確にしたことで、アメリカの奴隷解放運動は一気に加速していきました。

現在の難民問題もそうですが、このように民族移動には、必ずしも移動する人たちが望んだ結果ではない移動も数多くあるのです。

世界史は民族移動にあふれています。むしろ日本のように、ほとんど民族移動の影響を受けていない国のほうが、世界史的には特異な存在と言えるのです。

ユグノーの弾圧がオランダの興隆につながった――宗教弾圧による民族移動

奴隷の話をしましたが、望まない民族移動ということでは、宗教弾圧による民族移動もあります。

いくつかあるのですが、一つ例を挙げておきましょう。それは、一五七二年に起きた「サン・バルテルミの虐殺（英語表記では、St. Bartholomew's Day Massacre／聖バーソロミューの虐殺）」に起因する移動です。

これは、カトリックの国であるフランスで起きたユグノー（プロテスタント・カルヴァン派のフランスでの呼称）に対する弾圧事件です。

事件は、サン・バルテルミの祝日である八月二十四日に起きました。

その日パリには、カルヴァン派の信者であるブルボン家のナヴァル王アンリと、国王シャルル九世（在位一五六〇～一五七四）の妹マルグリットの結婚式を祝うため、多くのユグノー信者が集まっていました。

そもそもこの結婚は、国王の母であるカトリーヌ・ド・メディシスが対立し合うユグノーとカトリックの融和を目指して取り持ったものでした。

ところが、この宴席でユグノーの中心人物であったコリニー提督がカトリックの強硬派によって暗殺されてしまったのを機に事態は一変します。

ユグノーの報復が市民に及ぶことを恐れた国王が、ユグノー貴族の皆殺しを命じてしまったからです。宮廷内のユグノー貴族を皮切りに、殺戮《さつりく》は市内へ、さらには郊外まで広がり、多くのユグノーが虐殺されてしまいます。

犠牲者の数は、カトリック側の報告とユグノー側の報告とで大きな開きがあり、今も正確な数はわかっていないのですが、最低でも五〇〇〇人、最大では三万人もの命が失われたとされています。

この悲惨な事件の十七年後の一五八九年、幸か不幸か、ユグノー信者だったナヴァル王アンリ（アンリ四世／在位一五八九〜一六一〇）がフランス王位に就きます。

しかし、カトリックとユグノーの対立は根深く、アンリ四世の即位を認めないカトリック勢との泥沼の戦いが続きます。そこで一五九三年、カトリック信者の多いフランスで、どれほど頑張ってもプロテスタントの自分が王として認められることはないと悟ったアンリ四世は、カトリックに改宗することを決断します。

こうして国内が落ち着きを取り戻した一五九八年、アンリ四世はプロテスタントの信仰を認める「ナントの勅令」を発布します。

つまり、アンリ四世は、自らがカトリックに改宗することで王位を認めさせる代わりに、ナントの勅令でプロテスタントの信仰の自由を認めさせたのです。

ナントの勅令は、ヨーロッパで初めて個人の信仰の自由を認めた画期的なものでしたが、アンリ四世がカトリック狂信者の手で暗殺されると、伝統的なカトリック国に戻そうとする勢力によって、ナントの勅令を廃止する動きが出てきます。

そして一六八五年、ついにナントの勅令は廃止され、再び宗教弾圧が始まります。

この弾圧でフランスのプロテスタントの多くが、オランダやイングランドに移住していきました。実は、このときのユグノーのオランダ移住が、オランダのその後の興隆につながっているのです。

つまり、フランスが行った宗教弾圧は、それまで商工業の担い手だった人たちを、国外に出す結果になり、その追い出された人たちを受け入れたことで、オランダは商工業を一つの柱とした国家の興隆を成し遂げるのです。

「ゲルマン民族の大移動」はヨーロッパ世界を一変させた

人類史上最も有名な民族移動は、やはり「ゲルマン民族の大移動」だと思います。

四世紀から五世紀にかけてゲルマン民族が大挙して西に移動してきたことで、ヨーロッパ世界はその姿を一変させています。

では、ゲルマン民族は、なぜ西に移動してきたのでしょう。原因については諸説ありますが、やはり最も大きな原因となったのは、私は気候変動だと思います。

今は寒さに強い作物が品種改良によってつくられているので、実感はあまりないかもしれませんが、今でももし平均気温が二度下がったら、世界有数の小麦の生産地であるカナダでは小麦がほとんど収穫できなくなると言われています。気温の低下というのは、それほど大きな影響力を持っているのです。ましてや当時は前近代社会です。気候変動が起これば、農作物の被害はわれわれが考える以上に甚大だったでしょう。

ですから小規模な移民——家族単位であったり小さな集団での移住という形では、実は大移動よりもかなり早い、一～二世紀頃からゲルマン民族はローマ帝国内に入り込んでいるのです。しかし、ローマはそうした移民をうるさく規制しなかったこともあり、大きな問題に発展することはありませんでした。

彼らは、移住してきた当初はラテン語もろくすっぽできないので、ちょっとした仕事を手伝わせてもらうことで細々と食いつないでいったり、中には兵士として働いた者もいました。ゲルマン民族はラテン系のローマ人よりも体が大きいし、兵士であれば割と重宝がられていたようです。

それが四世紀頃から始まった寒冷化と、後で詳しく触れますが、ゲルマン民族より東方に位置していた騎馬民族「フン族」が西に移動してきたことで、いわば押し出されるような形で、大挙して西ローマ帝国の領土に入ってきました。これが「ゲルマン民族の大移動」です。

世界規模の寒冷化であれば、西へ行っても大して暖かくないのでは、と思うかもしれませんが、ヨーロッパの中でも西ヨーロッパは、メキシコ湾流の暖流が流れてくるため、気候的にとても温暖なのです。

それまでゲルマン民族の流入を大目に見ていたローマ人も、それがあまりにも大規模になってきたことで、見過ごすことができなくなっていきます。

これは、今のヨーロッパの難民問題を見てもわかると思いますが、小規模であれば受け入れることができるのですが、許容量をこえるほど大規模になってくると、軋轢《あつれき》が生まれるのは、ある意味致し方のないことなのです。

ですから当時のローマでは、今のヨーロッパが抱える難民問題と同じような問題が、もっと大きな規模で起きていたであろうことは、容易に想像がつきます。それまでは些細《ささい》ないざこざで済んでいたことも、人数がふくれあがることで暴動に発展し、暴動が起きればローマ側も鎮圧しなければならなくなります。

こうした暴動と鎮圧が繰り返される中で、ローマはその国力を消耗させていったのです。

先ほども触れましたが、ゲルマン民族はローマに入り込んできたとき、軍隊の中に入り込んでいました。さらに、時代とともに軍隊の中でどんどんのしあがり、中には軍のトップにまで成りあがっていった人々もいたのです。

そこにまたゲルマン民族が大量に流入してきたことで、ローマの市民生活はもちろん、軍の中にまで異民族の持ち込んだ異質な価値観が幅をきかせるようになっていきました。

しかし、そうなると、当然のこととして、もともとのラテン系の人々は不満を募らせていきます。

さらにこの時期は、ちょうどキリスト教の布教の時期とも重なるので、問題は複雑です。多神教的な人々からすれば、キリスト教を受け入れた人々が、ローマ帝国の中に、特にローマの軍隊の中で増えてくるというのは受け入れがたいことでした。それが異民族であれば、なおさら憎悪の念は強くなるはずです。

こうしたローマ人の気持ちは、今のヨーロッパを見れば、容易に想像がつくと思います。

実際、積極的に難民を受け入れてきたドイツでさえ、ここまで難民の数が増えると、ナショナリズムが高揚し、極端な人の中からはネオナチのようなものまで出てきて、難民の排斥《はいせき》を訴えるようになっています。

やはりこれと同じようなことが、ローマの中でも実際に起こっていたと考えられます。

ですから、ローマ帝国の滅亡を考えるとき、もちろんそれだけが理由ではないのですが、やはりゲルマン民族の大移動が一つの要因としてあったということは言えると思います。

日本人の常識からではわからない騎馬遊牧民の行動

ゲルマン民族が大移動を起こした原因のところで、それに先立つフン族の大移動があったと述べました。

フン族は、アジア系の騎馬遊牧民であることがわかっています。彼らはロシアの草原地帯から西進し、ヴォルガ川を渡ってゲルマン民族である東ゴート族の土地を征服しました。

隣接する西ゴート族はその勢いに恐れを抱き、ドナウ川をこえてローマ帝国内に逃げ込みました。

こうして始まったゲルマン民族の大移動を、ローマ軍も国境付近で阻止しようとするのですが敵《かな》わず、西ゴート族は急《せ》き立《た》てられるようにしてイタリア半島に侵入。さらに五世紀にはイベリア半島にまで達し、そこで西ゴート王国を建国してやっと動きをとめたのでした。

西ゴートの人々をこれほどまでに恐れさせたフン族とは、どのような民族だったのでしょう。

四世紀後半になって突然姿を現したフン族について、同時代のローマの歴史家アンミアヌス・マルケリヌス（三三〇頃～三九一頃）は『歴史』という著書の中で次のように述べています。

彼らは粗雑な靴をはき、歩兵戦にはまるで不適だった。醜いけれども頑丈な馬にくぎづけになって戦うのである。横乗りしたままで小便をするくらいはたやすいことだった。昼も夜も馬にまたがり、馬上で売買の交渉をするし、飲み食いするにも足を地につけない。さらに、自分の乗馬の首に身を傾けて眠り、気楽に夢を見るのである。

戦闘において、かれらは恐ろしい叫び声をあげて敵に襲いかかる。抵抗があると見るや、かれらは四散するが、再び同じ速度をもって舞い戻り、途中で出会うすべての物を破壊し打ち倒す。ただし、かれらは要塞に梯子をかけて攻略する術を知らず、塹壕をめぐらした野営陣地を襲うこともできない。しかし、かれらが矢を投げかける巧みさは比べるものもないほどである。その矢にはとがった骨がつけてあり、その堅くて危険なことは鉄でできているのと同じである。かれらはその矢を驚くほどの遠距離から射かけてくる。

半農半牧のゲルマン民族にとって、完全な遊牧民の攻撃は脅威でした。しかも彼らは、殺した敵の皮膚をはぎ取り、その血みどろの生皮を戦利品として持ち帰ったというのですから、恐れおののいて逃げ出したのも無理はありません。

このフン族は、ゲルマン民族を移動させただけでなく、ローマ帝国内にも侵入しており、現在の東欧には、このフン族の末裔の血も流れているはずです。

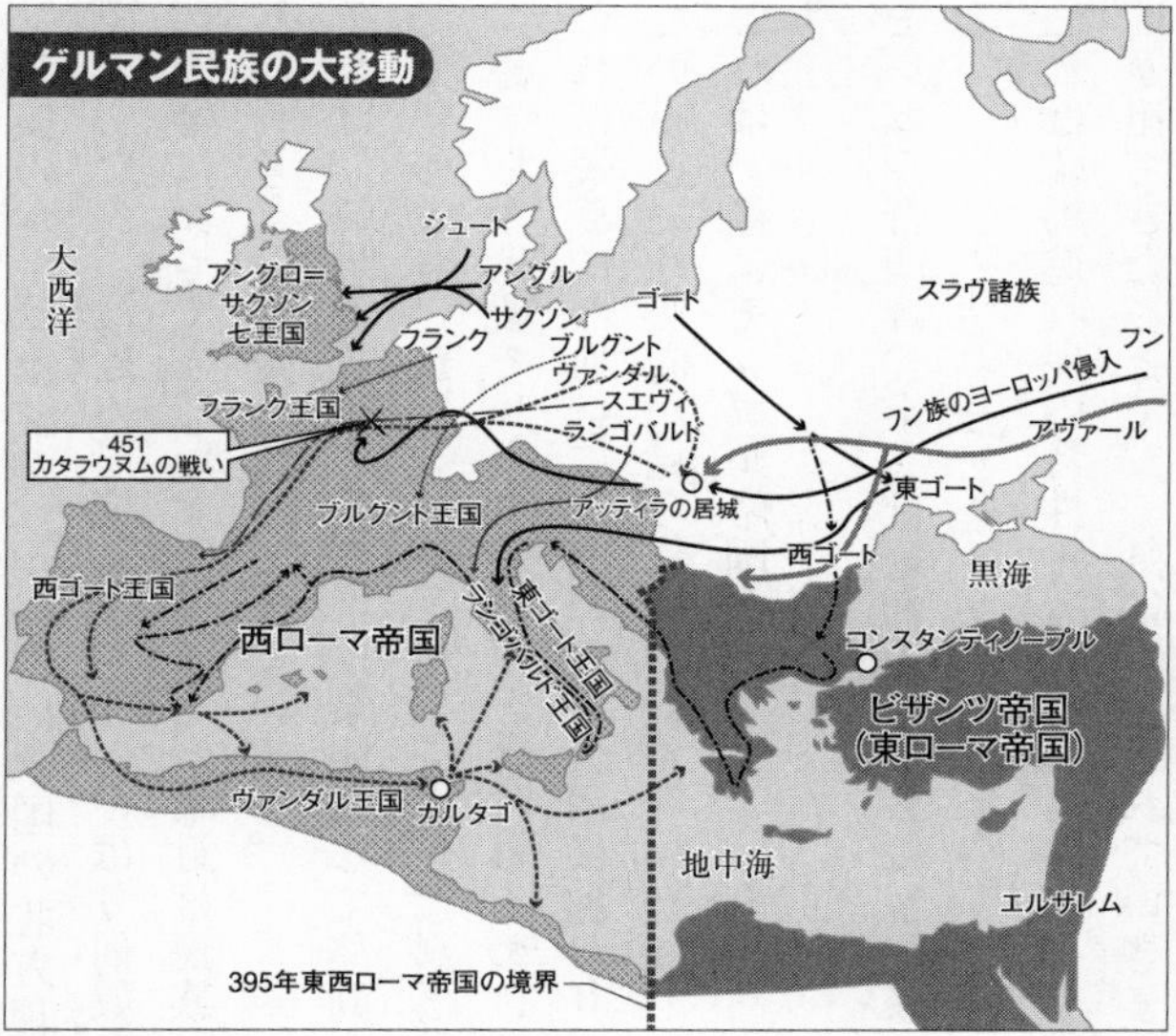
ゲルマン民族の大移動
大西洋
ジュート
アングル
アングロ＝サクソン七王国
サクソン
フランク
ゴート
スラヴ諸族
ブルグント
ヴァンダル
スエヴィ
ランゴバルト
フン
フン族のヨーロッパ侵入
フランク王国
451 カタラウヌムの戦い
アヴァール
アッティラの居城
東ゴート
ブルグント王国
西ゴート
黒海
西ゴート王国
西ローマ帝国
東ゴート王国
ランゴバルド王国
コンスタンティノープル
ビザンツ帝国（東ローマ帝国）
ヴァンダル王国
カルタゴ
地中海
エルサレム
395年東西ローマ帝国の境界

6世紀のゲルマン諸国家
アングル人
アングル人
サクソン人
サクソン人
スラヴ人の進出
フランク王国
ブルグント王国
ランゴバルド
ゲピデ王国
東ゴート王国
スエヴィ王国
トレド
ラヴェンナ
コンスタンティノープル
西ゴート王国
ビザンツ帝国（東ローマ帝国）
カルタゴ
ヴァンダル王国（534滅亡）
ユスティニアヌス大帝時代のビザンツ帝国最大領土

8世紀前半のゲルマン諸国家
アングロ＝サクソン七王国
スラブ諸族
トゥール
パリ
フランク王国
ポワティエ
アヴァール人
コンスタンティノープル
西ゴート王国（711滅亡）
ランゴバルド王国
ローマ
ビザンツ帝国
コルドバ
アラブ人の進出
ウマイヤ朝

フン族のルーツは謎で、かつては中国の北方騎馬民族「匈奴《きょうど》」との同一説が濃厚でしたが、最近の研究によって、やはり匈奴とフン族は異なる民族だとする説が優勢になってきています。また、最近は民族と集団を同一視しないほうがいいという考え方も強くなってきています。

それは、騎馬遊牧民の生活は、集団として移動するものの、非常に流動的だからです。つまり、誰がリーダーになるかはカリスマ性によって決まることが多く、必ずしも世襲でリーダーの座を受け継ぐわけではないし、優れたリーダーが現れれば民族的な血統にこだわらず集団に加わり、またリーダーが替われば離散していくという傾向が見られるのです。

これは、後にモンゴル帝国という大帝国を打ち立てたモンゴル民族も同じでした。

モンゴル帝国は、十三世紀初頭にテムジン（後のチンギス・ハン／一一六二〜一二二七）という男が出てきて、モンゴル族を統合したことに始まります。

これは騎馬遊牧民の特性とも言えるもので、非常に強力なカリスマ性を持った人間が出てきたことで、一気に統合されていきました。

そしてモンゴル帝国は、その後、中国を呑み込み元王朝を打ち立て、さらには西方にもその支配を広げていったのです。

モンゴル史に詳しい歴史学者の岡田英弘《おかだひでひろ》氏も杉山正明《すぎやままさあき》氏も「いわゆる近代世界をつくったのは、モンゴル帝国である」とおっしゃっていますが、モンゴル帝国がのちのグローバリゼーションの基盤をつくったのは確かだと思います。

モンゴルは確かに「帝国」をつくり上げましたが、それはローマのような「帝国」ではなく、その本質はあくまでも騎馬遊牧民の集団としての「ウルス」でした。

ウルスは日本語では「国」と訳されていますが、本来は「騎馬遊牧民の集団」という意味の言葉ですから、私たちが考える「国」とは基本概念が違うということは知っておくべきでしょう。

■チンギス・ハン

モンゴル帝国の創建者。中央アジアに進出し、帝国の基礎をつくりあげた。

極端なことを言えば、本来のウルスはリーダーであるハンが交代するたびに、集合離散するものなのです。なぜなら彼らは、あくまでもハン個人につくからです。ハン個人をリーダーとして認めれば従うけれど、気に入らないヤツがリーダーになれば、従わない。彼らに言わせればただそれだけのことなのですが、この感覚は定住民族である日本人には完全には理解できないものだと思います。

ですから、中国の北部にいた匈奴が圧迫されて西のほうに移動したことは事実ですが、そのときのリーダーの子孫が代々民族を率いていくわけではないので、いくつもの集団が絶えず集合離散していたと考えられます。

そのため民族的には必ずしも同じ集団ではなく、匈奴のときは民族的にはモンゴル系が中心だったけれど、西のほうに移動したときには民族的にはトルコ系が中心だったという可能性もあるのです。もちろん、その間にはペルシア系などいろいろな民族との混血も行われていたことでしょう。

そう考えると、フン族が中国北部の騎馬民族「匈奴」であったとも言えるし、違うとも言えるのです。そもそも民族をはっきり規定することができるのかどうかすら、現実には難しく、匈奴とフン族が同じかどうかという議論自体が、あまり意味を持たないのではないか、というのが最近の考え方です。

騎馬遊牧民は、土地に縛られる農耕民族とは明らかに異なる文化を持った人たちです。ですから彼らを、自分たちの常識にあてはめて、固定的に考えてはいけないのです。

今、欧米人は異民族が多数派になる恐怖を感じている

民族の移動で最も大きな意味を持つのは、「異なる文化」を持った人々が入ってくることだと思います。

ローマの場合も、ゲルマン民族が入ってきて戦い、ローマをやっつけたとか言われていますが、ローマはそれまでにも異なる民族と戦って負けたこともあるので、そのこと自体は大した問題ではありません。

異民族の血が入ってくることも、これまでのローマの歴史を考えれば、異民族を吸収して版図を広げてきたわけですから、これも問題ではありません。

やはり問題は、一気に大勢の異民族が入ってきたことでそれまでの価値観が変

わっていったことだと思います。

少しずつ入ってきた場合は、ローマの文化や価値観に異民族の方が吸収されるのですが、ゲルマン民族の大移動のようにあまりにも多くの異民族が入ってくると、それまでのローマの価値観や基本的な行動規範が変わっていってしまうということが起きます。そこにこそ民族移動ならではの怖さがあるのだと思います。

今までの難民問題で、受け入れる国の人々が恐れているのも、まさにこのことではないでしょうか。現在ヨーロッパで問題となっている難民は、ほとんどがイスラム教徒です。戦争で国を追われた彼らには安全に住める場所が必要ですが、このまま難民の数が増え続ければ、受け入れた国の社会は、やはり大きく変わらざるを得ないでしょう。

これは十六世紀の例ですが、現在のオランダは、当時はスペインを本拠とするハプスブルク家の領土で、宗教はカトリックでした。しかし、そこにプロテスタントの中でもカルヴァン派が大量に流れ込んできたことで、カトリックとカルヴァン派の人口比が逆転してしまったのです。その結果、カトリックを強制するスペインとの間に軋轢が生じ、オランダの独立戦争（一五六八～一六四八）が起こったのです。

これは、為政者の意思とは関係のないところで、移民の流入によって人口に占める多数派が逆転し、その結果、国の形まで変えてしまった典型的な事例です。ヨーロッパの国々は、実際にこうした事例を経験しているので、今、イスラム教徒がヨーロッパに難民という形でどんどん移動してきていることに、われわれ日本人が考える以上の危惧を抱いているのだと思います。

実際、このままのペースで難民の流入が続けば、百年後どころか、近い未来にイスラム教徒が多数派になるかもしれないと言われているのです。

最近ドイツでは、ナショナリストが台頭し、このままではドイツ人がいなくなると警鐘を鳴らしていますが、事態が進行すれば、そうしたナショナリストの中からヒトラーのような極端な人が出てくる危険性もあるのです。

それでも現時点では、まだ難民の人権を尊重することを主眼に、難民の受け入れが続いていますが、このままヨーロッパにおけるイスラム教徒の数が増えていったとき、ヨーロッパがどういうことになるかはわかりません。

アメリカも、共和党のドナルド・トランプが中米からの不法移民を防ぐために壁をつくるというような過激な発言をして、多くのアメリカ人の議論を呼びましたが、これは、実際にアメリカでも多くの人が南米のラテン系の人々の流入に危惧を抱いていることを意味しています。

また、二〇一六年六月、イギリスは国民投票でEUからの離脱を決めましたが、この背景にあるのは「もうこれ以上、移民・難民を受け入れたくない」と考える人たちの存在です。実際にイギリスは、二〇二〇年一月末にEUを離脱しました。

われわれ日本人は、これまでほとんど民族移動というものを経験していないので実感がありませんが、異民族が多数派になり、自分たちの文化が失われる恐怖を、ヨーロッパの人たちは強く感じているのです。

民族移動がもたらす価値観の対立が国家を揺るがす

民族の大移動があると、言語や宗教や生活習慣などが交錯します。

ゲルマン民族の大移動の時期は、キリスト教が受容されていく時期でもあったため、多くのゲルマン人がキリスト教を――もちろん、それはゲルマン文化の影響を受けた「ゲルマン化されたキリスト教」ですが、受け入れるようになっていきました。

こうした過去の事例を見ていくと、民族の移動によって言語や文化、そして宗教が入り混じっていったとき、どのようなことが起きるか、ある程度の想像がつきます。ですから、今後、イスラム教がヨーロッパの中に入っていったときに、ヨーロッパの中でイスラム教国家が生まれてくる可能性もあるのです。

現在すでに、多くの難民を受け入れた国では、言語や文化や生活習慣、そして信仰の違いからくるさまざまなトラブルが起きています。ヨーロッパでは学校教育などでそうした価値観の違いを修正する試みも行われていますが、それがどれだけの効果を生むかは未知数です。

結局は、どちらかの価値観に合わせるということは不可能で、価値観がぶつかり合う中で、新しい価値観、新しい世界秩序というものが形成されていくのではないかと思います。

しかし、その過程では必ずと言っていいほど、頑《かたく》なに伝統を守ろうとする国粋主義者が現れます。

実際、共和政期のローマでも同じようなことが起きています。

当時ローマでは、先進的なギリシア文化を積極的に受け入れようとする人々と、ギリシア的なものの受け入れを断固拒否する国粋的な人々がいました。

第二次ポエニ戦争で宿敵ハンニバルを破ったスキピオは、ギリシアかぶれと言われたほどの受容派で、カルタゴ殲滅論を唱えてローマの人々を第三次カルタゴ戦争へかりたてた大カトはごりごりの国粋主義者でした。カト家とスキピオ家というのは、実は非常に典型的な国粋主義の家と、外の価値観に対して寛容な家として対立していたのです。

それでもローマが新しい価値観を構築できたのは、ギリシア的な価値観を少しずつ受け入れながら、新しいローマ的な秩序をつくっていくだけの時間的な余裕があったからだと思います。

ローマ人というと、キリスト教を弾圧したというイメージがありますが、実はローマは信仰に対して非常に寛容で、征服地でも「おまえたちがおまえたちの神を信じるのは自由だ」と常に認めてきました。これはキリスト教に対しても同じだったのです。

私はこのことについては、これまでもいろいろな著書で述べているのですが、寛容なローマがキリスト教を弾圧するようになった最大の理由は、キリスト教徒たちが「キリスト教以外の神々はニセモノだ。そんなものを信じてはいけない」と主張したからなのです。

ここで理解していただきたいのは、なぜ信仰心の篤《あつ》いローマ人が、異なる神を信仰する属州の人たちに信仰の自由を認めたのかということです。

それは、ローマ人の信仰に対して口を出さないでほしい、という強い思いがあったからなのです。われわれはあなたたちの信仰に口を出さないから、あなたたちもわれわれの信仰に口を出さないでほしい、ということなのです。

それなのに、キリスト教徒たちは自分たちの信仰を守るだけでは我慢できず、極端に言えば「ほかの神々はニセモノだ。そんなものを信じていると地獄に落ちる」と言わんばかりだったのですから、ローマ人に言わせれば、わがまま以外の何ものでもありません。だから弾圧されてしまったのです。

ウクライナ問題はなぜ解決できないのか

異民族同士がぶつかり合ったとき、平和的に融合することはほとんどありません。多くの場合、そこには争いが生じます。中でも悲惨なのは、異民族を社会から抹殺《まっさつ》する「民族浄化（ethnic cleansing）」です。そして、悲しいことに民族浄化は、人類史の中で何度も繰り返されてきました。ユダヤ人に対する迫害、黒人差別、クロアチアにおけるセルビア人迫害など。どれも大量虐殺や強制移住などを伴う悲劇に発展しています。

なぜこうした悲劇が繰り返されるのかというと、やはり自分の属する民族をできるだけ純粋な状態にしたいという気持ちを持つからでしょう。

二十世紀末に資本主義と社会主義の対立が崩壊した後、世界の対立構造は、文明と文明の衝突が主軸となったと言われています。そして、その最たるものがイスラム教とキリスト教の対立だとされたのですが、実際に対立しているのはイスラム教とキリスト教そのものではなく、それぞれの中のごく一部、いわゆる「原理主義者」と呼ばれる過激な人たちです。アルカイダやＩＳ（Islamic State／イスラム国）などがそうですが、彼らはあえて世界を対立構造に持っていこうとしているように見えます。

しかし、対立を助長させているのは、彼らだけではありません。欧米側にも問題がないわけではありません。確かに欧米には他民族や他宗教に寛容な人たちもいますが、やはり一部には過激な原理主義者が存在し、イスラム教全体を否定しようとする言動を取って民衆を煽《あお》っています。

世界では今、民族主義の動きが高まりを見せる一方で、アメリカ、中国、ロシアなどは帝国主義的傾向を強めるという、両極端な動きが同時に進行しています。

こうした複雑化する世界を日本人がきちんと理解するためには、もっと世界史を学ぶ必要があります。たとえば、ウクライナとロシアの問題にしても、その背景には千年近くに及ぶ対立の歴史があるのですが、それを知る日本人はほとんどいません。

あまりにも日本人には世界史の知識が不足しているのです。

ウクライナの問題が複雑なのは、ウクライナの中でも西のほうに位置する人々は純粋なウクライナ人なのに対して、東のほうに位置する人々は言葉もロシア語に近く、文化的にもロシア寄りの人が多く、同じウクライナでありながら、西と東とで大きく異なる面を持っているからです。

純粋なウクライナ人にしてみれば、ロシアは後からやってきた異民族です。それなのに後からやってきたロシア人が、わが物顔に振る舞っていることが許せないのです。

ウクライナは、もう千年以上そうした不満を抱えているので、何か起こるとすぐに、ロシアを排除して民族を浄化しようとする運動が起きるのです。

クリミアが複雑な構造になってしまったのは、対立するウクライナ側とロシア側とで争奪戦のような状態になってしまっているからなのです。

ロシアにとってクリミアは、絶対に手放せない重要な場所です。なぜなら、クリミアにはセバストポリ軍港があるからです。この黒海に面した軍港は、ロシアが地中海へ至るための非常に大事な港で、地政学的に重要な場所です。もし、この港を失ったら、ロシアは地中海航路を失い、地中海の覇権をヨーロッパと争うことができなくなってしまいます。

だから、ロシアはどんな手を使ってでも、ウクライナを失うわけにはいかないのです。

このように民族問題というのは、歴史はもちろんのこと、宗教や地政学などさまざまな分野から知識を得ないと理解できない難しい問題なのです。

そのような問題を解決するのは難しいとしても、世界史の知識を持っていれば、少なくとも感情的にならずに理解することはできると思います。

第5章

宗教を抜きに歴史は語れない

一神教はなぜ生まれたのか

日本人にはわかりづらい宗教の力

日本人は信仰心が薄いと言われています。実際、自分が熱心な信徒であるという自覚を持つ日本人は多くありません。

しかし、欧米人にとって、信仰心が薄いというのは、モラルが低いということとイコールとして受け取られやすいので注意が必要です。欧米では、モラルの背景に宗教的制約があると考えられているからです。彼らにとっては、神の前で恥ずかしいことをしてはいけないというのがモラルの基本なのです。

ですから、明治維新以後、日本人が欧米各地に出掛けていったとき、日本人の非常に礼儀正しい姿を見て感心した欧米人が、信仰について聞いたところ、あまり信仰心が強くないことがわかり非常に不思議がりました。でも、「なぜ日本人はそんなに信仰心がないのに、モラリッシュに行動することができるんだ」と聞かれても、日本人は答えられませんでした。

実は、この質問こそが、新渡戸稲造が『武士道』を書くきっかけとなったのです。

新渡戸も多くの欧米人から同じような質問をされ、答えに窮した一人でした。宗教でないとしたら、何がわれわれの礼節の背景にあるのか。

そう考えた結果、彼がたどり着いた答えが『武士道』だったのです。ですから『武士道』は、もともと日本人のために書かれたものではなく、『Bushido: The Soul of Japan』というタイトルで、一九〇〇年にアメリカで、欧米人向けに英語で刊行されたものでした。

内容も、切腹するとかいったことではなく、日本人の道徳心がどのように培われているのかを、日本の気候風土や武士の生活といったものを例に具体的に述べています。

この本が世界的に有名になったお陰で、日本人への理解はだいぶ進みましたが、やはり世界では信仰心の強さがそのまま高いモラルにつながると考えるのが一般的です。日本は、そういう意味では例外と言っていいでしょう。

こうした「モラル」と同時に、宗教は人々に「結束力」をもたらします。宗教のほかにも結束力をもたらすものとして「言葉」があります。言葉が通じるか否か、それも母国語のように細かなニュアンスまで通じるかどうかで、人と人の結束力は大きく違ってきます。しかし、たとえ話す言葉が違っても、キリスト教徒同士だからということでお互いに通じあえるということはあります。では、どちらが結束力が強いのかというと、一般的には言語よりも宗教のほうが強いとされています。

この点でも日本人は世界基準とは違い、宗教的結束ではなく、日本語という言語で結束していると言えるでしょう。日本人は「日本教」の教徒だと言う人もいますが、私はやはり、普通なら宗教的結束力のほうが強い力を持っているにしても、信仰心が弱いために、言語的結びつきが強くなっているのではないかと思っています。

ですから、日本人にはなかなか実感が湧かないかもしれませんが、世界的には言語よりも宗教のほうがはるかに大きな力を持っているのです。

かつて人は神々の声に従って行動していた

人間社会では、宗教は常に大きな問題です。

宗教というと、神にすがって救いを求めるものという印象が強いようですが、歴史を見ていると、決してそれだけのものではないことがわかってきます。

プリンストン大学の心理学教授だったジュリアン・ジェインズ（一九二〇〜一九九七）は、著書『神々の沈黙――意識の誕生と文明の興亡』（『The Origin of Consciousness in the Breakdown of the Bicameral Mind』／紀伊國屋書店）で、三千年前の人類は、実際に神々の声を聞き、その通りに行動していたということを、ホメロスの『イーリアス』と『オデュッセイア』の記述をひもときながら検証しました。そしてジェインズは、こうした神々の声が聞こえていた時代を「二分心《にぶんしん》／Bicameral Mind」の時代と称しました。

人間の意識というのは、言語に深く根ざしています。そのため、ジェインズは人類がまだ文字を使っていなかった段階では、意識というものも定かでなかったはずだと考えました。

彼の考察によれば、人類が明確に意識を持ったのは約三千年前。では、それ以前の意識の稀薄な人類は、どのようにして社会生活を営んでいたのかというと、

「二分心」を活用していたというのです。

これは、簡単に言うと、心の中に「自分」と、もう一つ「神」がいたということです。

つまり、神という別の存在が実際にいて、その声を聞いていたということではなく、古代の人々は、内なる声として常に自分の内なる「神」の声を聞きながら生きていたということです。

明確な自己意識を持つ現代人には少々わかりづらい感覚かもしれませんが、私のように古代史を専門としている人間には、この説明はとても納得できるものでした。

なぜなら、私もそうですが現代人の多くは、神というのは人間の脳がつくりだしたものなのではないかと、かねがね考えているからです。

人間は「文明」と呼べるものができる以前から、宗教的習慣を持っていたことが考古学的研究によって明らかになっています。でも、人間以外の動物には神も宗教もありません。そう考えると、神は人間が脳を発達させた結果、手にしたものの一つだと考えることができるわけです。

では、人間にとって神とは何なのでしょう。

私は、人間にとって神とは一種の「理想」だと思っています。人間というのは、理想に近づこうとする宿命のようなものを背負っています。行動するときに、実際その通りにできるかどうかは別として、理想的な行動をしようとするのもそのためです。つまり宗教とは、人間が神という理想に近づくための方法を示すものだと言えるのです。

宗教は迷信として片づけられるものではなく、脳を発達させた人類の宿命のようなものなのではないか、そう考えていた私には、ジェインズの二分心はまさに古典の文献に即してしっくりくるものだったのです。

神々を心の中で身近に感じていたので、古代人の作品には神々が生き生きと描かれているのです。彼らにとって神々は神話や空想ではなく、もっと肌身に迫ってくるものだったのです。

今は「神」というと、キリスト教やイスラム教など一神教の「唯一神（the one and only God）」を考える人が多いと思いますが、古代の神は、基本的に「多神」です。

さまざまな性格を持つ神々が存在する多神教世界で「神という名の理想」の追求などできるのだろうか、という疑問を持たれる方もいるかもしれません。

確かに、唯一神信仰と、多神教世界で特定の神を信仰するのとでは違いはあります。しかし、多神教世界であっても、自分と信仰する「神」との関係は、ある種、一神教的なところがあるので、私は「神という名の理想」は充分成立すると思っています。

古代の神々は、自然風土と非常に密接に結びついています。

占いは「神々の声」の代用品

古代の人々は、身近な自然の中に神を見いだしていました。つまり、神々は遠く離れた別の世界ではなく、常に人々の身近なところに存在していたのです。自然界に存在する人間では計りしれない力を持つものに対する畏敬《いけい》の念、そうしたものが神々として敬われていた、と言っていいでしょう。

大きな災《わざわ》いをもたらす火山や雷、台風などはもちろん、巨大な木々や巨石、人々の生活に恵みをもたらす美しい湧き水などにも古代の人々は「神」を見いだしています。

たとえば、ヤマザキマリさんと、とり・みきさんが執筆した漫画『プリニウス』の主人公ガイウス・プリニウス・セクンドゥス（二三頃〜七九）は、実在した古代ローマの博物学者ですが、彼は自然界のありとあらゆることに興味を持ち『博物誌（Naturalis Historia）』という百科全書を残しています。

それを見ると、たとえば地震というのは、空気や水が大地の裂け目の中で非常に大きく揺れるときに起こるとか、今から見ればあり得ないような説なのですが、彼なりに合理的に考えた説明をしています。

でもそれは、プリニウスが知識人であり学者だから、単に超自然的な力というのではなく、そこに何らかの原理を見いだそうとしているのであって、当時のほとんどの人は火山も地震も超自然的な力のなせるわざだと考えていました。

ローマよりさらに古い古代エジプトでは、動物信仰がとても盛んで数多くの動物のミイラが出土しています。当時のエジプトでは、部族ごとにいろいろな神々を信仰していましたが、中でもタカやトキなど空を飛ぶ鳥に対する信仰は非常に強く、多くのミイラが見つかっています。それは、やはり空を自由自在に飛ぶ鳥の能力が、超自然的な力に見えたからなのでしょう。

ローマではもうさすがに自然の鳥を崇拝することはありませんでしたが、やはり古代信仰の影響は受けていたのだと思います。鳥の飛び方で占う鳥占いや、ヤギや羊といった動物の肝臓の形や色で占う肝臓占いというものがありました。肝臓占いはかなり人気があったらしく、肝臓占いを教えるのに使われたと思われる肝臓の模型まで発見されています。

ここで気づいていただきたいのは、なぜ占いが生まれたのかということです。

私は、それまで聞こえていた「神々の声」が聞こえなくなったからだと思っています。

占いの最も古い形は「神託《しんたく》」と言われるものです。神に伺いを立て、その返答を巫女《みこ》や神官を介して聞く、というものです。たとえば、ギリシア最古の神託所と言われている「デルフォイの神託」の歴史は古く、ギリシア神話のオイディプス伝説にもその名を見ることができます。

オイディプス伝説とは、心理学で用いられる用語「エディプス・コンプレックス」の語源になった物語です。

主人公のオイディプスは、赤子のときに捨てられてしまうのですが、それは実の父であるテーバイの王ラーイオスが「その子供がおまえを殺す」という神託を受けたからでした。無事たくましい若者に成長したオイディプスは、デルフォイで「故郷に決して近づくな」という神託を受け旅に出ます。その旅の途中、オイディプスは、それとは知らず実の父を殺し、実の母と結婚し、テーバイの王となります。しかし、オイディプスの治世は、さまざまな禍に見舞われ上手くいきません。そこで再びデルフォイの神託を受けると、「ラーイオスを殺害した者を追放せよ」と告げられます。神託を実行すべく調べるうちに、オイディプスはすべての真実を知ります。自らの運命に絶望したオイディプスは、自らの目をえぐり出し、国を去るのでした。

この話では、何度も神託が登場します。これは、当時の人々が神のお告げを自分では聞くことができず、巫女という特別な能力を持つ者に聞いてもらっていたことを物語っています。

みんなが神々の声が聞こえていた時代は、神託所など必要ありませんでした。

神託所が登場してきたということは、神々の声を聞ける人が、ごくわずかな特別な人になっていたことを意味しているのです。

しかし、『ギルガメシュ叙事詩』や『イーリアス』など古い時代の作品を読むと、古いものほど、人々は直接神々のささやきを聞いているのです。

こうした神々の声を古代の人たちは聞いていたわけですが、それを私は「神々のささやき」と言い、ジェインズは「二分心」と言ったのです。

二分心は科学的にあり得るのか

ジェインズは、「二分心」は左右の脳がそれぞれに生み出したものだ、と言います。

今の大脳生理学的に言えば、右脳と左脳が個別に働いていたということになります。

そしてジェインズは、人間が明確な意識を持つようになったことで左脳が発達し、対する右脳は退化してしまったため、神々の声が聞こえなくなったと説明しています。

つまり、神々の声というのは、右脳の声だったということです。

しかし、「神々のささやき」にしろ「二分心」にしろ、科学的に見て人間の脳にそのようなことが本当に起こり得るのでしょうか。文系の私には今ひとつ確証が持てませんでした。

そこで、解剖学者で脳科学にも詳しい養老孟司《ようろうたけし》さんが、毎日新聞でこの本の書評をしていたことを思い出し、同じ新聞で書評をしているよしみで、科学的にこうしたことがあり得るのか聞いてみたことがあります。

すると養老さんは、今の科学で証明することは難しい、と前置きをされた上で、それでも二分心というのは充分あり得ることだとおっしゃったのです。

実は、一九七〇年代までは、右脳はほとんど機能しておらず、左脳に障害が起きたときに埋め合わせする予備の脳という説明がされていたそうです。

しかし最近は、左脳は確かに分析的・言語的な中枢を担っているのですが、右脳は左脳の予備などではなく、もっと全体的かつ芸術的な働きを担っていることが明らかになってきているのです。

実際、私は脳の不思議な働きを目の当たりにしたことがあります。

それは、行きつけの居酒屋で何度か飲んだことのある人だったのですが、左脳に脳梗塞《のうこうそく》を発症して、手術をして一命は取り留めたものの、言葉を話すことができなくなってしまった人が見せた不思議でした。

その人は、どんなに頑張ってもしゃべることができないのですが、かつて自分が好きでおぼえていた歌なら歌うことができたのです。

同じ言葉を発する作業でも、会話は左脳が司《つかさど》り、メロディやリズムと一体になった歌は右脳が司っていたということなのでしょう。まだまだ人間の脳に関してはわかっていないこともたくさんあるようです。

ともかく、神についての私の文系的なアプローチを、理系の養老さんにも可能性を認めていただき、とても心強く思いました。

初めての近代人オデュッセウス

人に神々の声が聞こえていた時代、人間はどのような生活をしていたのでしょうか。

残念ながら、文字史料が極めて少ない時代のことなので、はっきりとしたことはわかりません。

楔形文字やヒエログリフでさえ、使われるようになったのは今から約五千年前です。それ以前のこととなると、正直、わからないことだらけなのです。

ですから、今わかっているのは、神々の声が聞こえていた時代と言っても、せいぜい今から五千年前から三千年前にかけての約二千年間のことです。それ以前のことは断言できませんが、確かに人は神々の声を聞いていたはずです。

人類の祖先「猿人」が誕生したのは、今から約四百万年前と言われています。その後、猿人は原人、旧人と進化を続け、私たち人類とほぼ同じ姿（新人）になったのは、約七万年前です。

その後、氷河期が終わり、前一万年頃、間氷期に入ったのです。それまで人類は寒さを凌ぐために洞窟を根城にして、狩猟採集生活を行っていました。

そういう時代の果てに、やがて人類は一カ所に定住し農耕と牧畜を始めるようになります。

定住生活は集落を生み、集落はコミュニケーション手段としての言語を発達させたに違いありません。言語が用いられていくうちに、言葉を記録するため文字が発明されます。

この、文字は持っているけれど、まだ意識というものが確立されておらず、神々の声が聞こえていた時代が、今から五千年前〜三千年前の約二千年間なのです。立証はできませんが、恐らく神々の声は、それ以前から聞こえていたのだと思います。

意識が生まれるというのは、人が責任感を持って物事を判断するようになるということです。つまり人が洞窟を出てから、判断力と責任感を持って行動するようになるまでの約九千年間は、人は自分では考えず、聞こえてくる神々の声に従って生きていたのです。

ジェインズはこのことを、ホメロスの『イーリアス』と『オデュッセイア』の記述をひもときながら説いたのです。

これは少し専門的な話になりますが、『イーリアス』と『オデュッセイア』は、どちらもホメロスという人が語った叙事詩だと言われていますが、私は別の人が語った作品なのではないかと考えています。つまり、ホメロスAとホメロスBがいて、恐らく両者の間には百年ほどの時間の隔たりがあるのではないか、ということです。

なぜそう考えるのかというと、『イーリアス』は、至るところで神々が登場し、人間に指令しているのに対し、『オデュッセイア』は、オデュッセウスという主人公が、さまざまな困難に遭遇したとき、自らの判断で行動しているからです。

『イーリアス』の中にもオデュッセウスは出てきますが、彼は最初の近代人と言われるだけあって、たんに賢いだけでなく、ずる賢いところもあり、現代人であるわれわれにも理解しやすい人物です。ちなみに有名な「トロイの木馬」は、彼が出したアイデアです。オデュッセウスは神々の声にむやみに従うのではなく、自分で判断し、自分の責任で行動するのです。

『オデュッセイア』は、『イーリアス』の続編的作品で、オデュッセウスがトロイア戦争の後、祖国に凱旋《がいせん》する途中に起きた難破によって始まる十年間にわたる冒険の物語です。

物語の最後、さまざまな冒険を経てようやく帰ってきた故国イタカで彼が見たのは、多くの男たちに言い寄られる妻ペネロペイアの姿でした。「オデュッセウスは、もう死んで帰ってこない」、そう言葉巧みに言い寄る男たちを、ペネロペイアはかろうじて退けてはいましたが、オデュッセウスはそんな妻の心さえ疑います。

そのため、帰ってもすぐには自分の正体を明かさず、みすぼらしい老人に変装して妻の本心を探るとともに求婚者たちをやっつけていくのでした。

このように『オデュッセイア』は、自分の判断のもと、責任感を持って行動する人間が主人公となる最初の物語なのです。

私はしばしば大学で『オデュッセイア』をテキストに使っていますが、そういう目で読むと、明らかに『イーリアス』の世界とは大きな隔たりが感じられるのです。

人はなぜ唯一神を必要としたのか

人間が「意識」を持つようになり、神々の声が聞こえなくなったのは、今から約三千年前。つまり、紀元前一〇〇〇年頃です。

『イーリアス』にしても『オデュッセイア』にしても、今の人たちは神話的物語だと思っていますが、本当にそうなのでしょうか。たんなる作り話が何百年も読み継がれていくものでしょうか。

私は、その当時、もっとリアリティを持って、真に迫ってくるような話として人々に読まれていたのではないかと思っています。

たとえば、わかりやすい場面で言うと、『イーリアス』の中の、アガメムノンとアキレウスが対立する場面です。アガメムノンはギリシア軍の総大将。アキレウスはギリシア随一の勇者です。

ギリシア軍がトロイアに攻め込み、ある町を破壊したときのことです。アキレウスが、その町の女性を略奪してきました。

略奪というと、今でこそ非人道的な行為とされていますが、当時は勝者が敗者のものを略奪するのはごく当たり前の行為でした。そして、それは物だけではなく、人に対しても同様でした。

そのアキレウスが略奪した女性を、アガメムノンが奪ってしまうのです。アガメムノンからすれば、自分は総大将なのだから、ギリシア軍が奪ってきたものは当然自分に権利がある、という考えだったのですが、アキレウスは自分の戦利品を奪われて激怒してしまいます。

怒ったアキレウスは、ギリシア軍から去ってしまいます。

アキレウスはギリシア随一の勇者です。その彼が軍を去るということは、大変な痛手です。そこで、アキレウスの親友パトロクロスが、せめてもと言ってアキレウスの武具を借り受け、ギリシア軍に参加するのですが、あえなくトロイアに倒されてしまいます。トロイア戦争が長引いたのも、アキレウスが去ったからだと言われているのです。

アガメムノンからの謝罪もあり、後にアキレウスは軍に復帰しますが、そのときもギリシアのためというよりも親友の復讐という気持ちが強かったとされています。

前置きが長くなりましたが、問題の場面は、アガメムノンがアキレウスに謝罪をする場面です。

アガメムノンは、「おまえの女を奪った私が悪かった」と言い、償《つぐな》いの品々を贈ります。しかしアキレウスは、その一〇倍の贈り物をもらっても許さないと突っぱねます。

そのときにアガメムノンが言ったセリフが、「あれは、私のところにゼウスがささやきかけたのだ。だから、私にはどうしようもないことなんだ。おまえはこの女を取れとゼウスに言われたので、私はそのようにしたんだ」というものなのです。

それに対してアキレウスは「おまえ、何、寝言を言ってるんだ」なんてことは言いません。そんなこと、ひと言も言わず、アガメムノンの言い分をそのまま聞いているのです。

このやりとりから読み取れるのは、当時の人たちが、ほんとうに神々の声が聞こえたかどうかは別にして、そういうことがごく当然のことと受け取られていた、ということです。

ジェインズは、そういう神々の声が、次第に聞こえなくなっていったと主張しています。

では、なぜ聞こえなくなったのか。私は人々が文字を使うようになったことで左脳が右脳の働きを抑制するようになり、神々の声が聞こえなくなったのではないかと思っています。文字——とくにアルファベットが開発され、少ない文字数で人間は自分の思うことを記述できるようになりました。それは読み書き能力の飛躍的な発達につながります。

私は、この「神々の声が聞こえなくなった」ことが、同時期に起きた一神教の登場と深く関わっているのではないかと考えています。

つまり、神々の声が聞こえなくなってきたことで、人間は自ら考えて、指針を持たなければならない状況に陥ったのです。

そこで人間が生きる指針としてつくり出したのが全知全能の唯一神なのではないか、ということです。そう考えると、第3章、同時代性のところでも触れましたが、ヤスパースが枢軸時代と名づけたこの時期に、優れた思想家が世界各地で登場した謎も解けるのです。

神々の声が聞こえていたとき、人間は「生きる指針」など必要ありませんでした。聞こえてくる神々の声に従えばよかったからです。神々の声が聞こえなくなったからこそ、人は絶対的な神を必要とし、物事を判断するために思想を必要としたのではないでしょうか。

つまり、神託や占いと同じように、唯一神も、思想も、聞こえなくなってしまった「神々の声」の代用品だった、ということです。

古代世界の分岐点

私たちは人類の文明史を「古代・中世・近代・現代」とおおまかに四つに分けていますが、実は、文明史五千年間のうちの四千年は「古代」なのです。ですから、一口に「古代」と言っていますが、私は、その内容から古代を「旧古代・旧中世・旧近代・旧現代」という四つのステップに分けて考えたほうがいいのではないかと考えています。

旧古代とは、古代エジプトでもピラミッドが建造されていた最も古い時代。その後、エジプトは、ピラミッドをつくる技術を失います。そうした混乱の時代が旧中世。旧近代にあたるのは、哲学や直接民主政が生まれたギリシア時代と言えます。

これらの時代の違いは、遺物を見るとよくわかります。

旧古代から旧中世に相当するエジプトやメソポタミアの芸術の特徴は、非常に定型的な表現がとられていることです。たとえばレリーフに描かれている人間がみな直立不動だったり、動きのある場面でもその姿に躍動感はなく、パターン化された表現にとどまっています。

ところが、旧近代にあたるギリシアになると、そうした表現は一変し、目を見張るほど流動的で躍動的な芸術が出てきます。これは、人間を生きた人間として捉えた表現と言っていいでしょう。現在の歴史で言えば、ルネサンス時代に相当するのがギリシア時代だと言えると思います。ルネサンスは「ギリシアの発見」だと言われますが、両者にはもともと親和性があったということです。

ギリシアがルネサンスだとすると、旧現代は、物質文明が天下を取ったローマ帝国の時代に相当します。

ですから、一口に古代と言ってもピラミッドをつくったときの古代エジプトと、ローマ帝国が繁栄していた時代の属州エジプトではまったく違っていたので

■近衛兵の行列

アケメネス朝ペルシアの王宮跡出土。ベルリンのペルガモン博物館。

す。そして、両者には、現代人である私たちが考える古代と現代の違いにも匹敵する大きな隔たりがあったのです。

実際、私がポンペイへ調査に行ったとき、同行していたギリシア史の専門家は、ポンペイの邸宅跡を見て、「これはギリシア人の水準で見たら、屋敷というより宮殿だ」と言っていました。

確かに、ポンペイの邸宅は、一つの区画（インスラ）を占め、その広い敷地の道路に面した場所は小さなブロックに分けて商店として貸し、内側の部分を屋敷として使うという大邸宅です。しかし、いくら大邸宅だといっても、ローマからすれば、ポンペイの邸宅なんて単なる地方貴族の住まいに過ぎません。

それでもギリシアと比べると宮殿に匹敵するほどの規模だと言うのです。

そのときは「大げさな」と思いましたが、そう言われてみれば、確かにクレタ島にあるクノッソス宮殿もりっぱな宮殿ではあるのですが、ローマと比べるとそれほど大きなものではありませんでした。

つまり、同じ古代の中でも、大きな隔たりがあるということです。そしてその中でも、旧中世から旧近代にあたるところの隔たりには、とても大きな断絶があるのです。

この時期は年代で言うと、ちょうど前一〇〇〇年ぐらい、つまり、アルファベットが生まれ、一神教が生まれ、貨幣がつくられ、世界中で思想が花開いた枢軸時代なのです。

一神教の誕生――古代エジプトのアテン神信仰

世界で初めて一神教が登場するのは、前十四世紀のエジプトです。

古代エジプト第一八王朝のファラオ（エジプトの王）であるアメンホテプ四世（在位前一三五三～前一三三六）が強行したアテン神崇拝です。

それまでエジプトの宗教は、アメン神を頂点とする多神教でした。神の化身と考えられたファラオの名前には神の名が含まれることが多いのですが、アメンホテプの名前にも「アメン」の名を見ることができます。

ところがアメンホテプ四世は、在位四年目に、旧来の多神教を否定し、唯一神アテンを崇拝することを宣言、信仰の証《あかし》として自らの名をアテン神に有用なる者という意味の「アクエンアテン」に改名します。ちなみに、アクエンアテンは、黄金のマスクで有名なツタンカーメンの義父と言われていましたが、近年では実父であったとも指摘されています。

アテン神は太陽に象徴される唯一神ですが、アメン神を中心とした信仰の時代からあった神々の中の一つを絶対視したのではなく、アクエンアテンがつくりだした新しい神でした。

アクエンアテンの行ったこの宗教改革は激烈なもので、アテン崇拝に反対する伝統的なアメン信仰を中心とする神殿勢力を抑えるため、新都「アケトアテン（アテン神の地平線）」をつくり、遷都まで行っています。現在この都のあった場所はアマルナと呼ばれています。

しかし、強行に推し進めた一神教への改宗は、わずかアクエンアテン一代で終わってしまいます。アクエンアテンの存命中に王位を継いだスメンクカーラーの治世（前一三三六〜前一三三四）についてはよくわかっていませんが、その後を継いだツタンカーメン（在位前一三三三頃〜前一三二四）は、幼くして王位に就いたこともあり、神殿勢力に抗しきれず、アテン信仰を捨て旧来のアメン信仰に戻っています。

唯一神アテン信仰は、本当にアクエンアテン一代で終わったのでしょうか。前十四世紀、『旧約聖書』の出エジプトで知られるユダヤ教の預言者モーセが生きたのは、ラムセス二世（在位前一二九〇～前一二二四）の治世ですが、出エジプトが行われたのは前一二五〇年前後と考えられているので、モーセとアクエンアテンの間には百年ほどの開きがあります。

■アメンホテプ4世とアテン神

アメンホテプ4世と彼の家族がアテン神を信仰している姿。アテン神に捧げる新都アケトアテン（現アマルナ）を建設した。

そのため学者の多くは、同じ一神教とはいえ、アクエンアテンとモーセの間につながりはなかったとしています。しかし、なぜモーセが一神教を創り出したのかについてはわかっていません。

この問題に強い興味を持ったのが、心理学者のジークムント・フロイトです。精神分析学、心理学の立場から見て、ごく自然な人間の発想として多神教的なあり方があるのに、なぜ一神教が出てきたのかということは、フロイトにとって非常に大きなテーマでした。

それだけに、アクエンアテンとモーセの宗教のあいだには、何かつながりがあるに違いないと推測したのでしょう。彼は、『モーセと一神教』（渡辺哲夫訳・ちくま学芸文庫）という著書でこの問題に取り組み、二人にはつながりがあったと結論づけています。

フロイトはこの本の中で、モーセはユダヤ人ではなくエジプト人だと断じた上で、モーセはユダヤ教をつくることでユダヤ人をも創造したと述べているのです。

彼の説は非常に興味深いものですが、学者というのは実際の史料がなければ、決してそれ以上のことは言いません。ですから、今も公式にはアクエンアテンとモーセの間には何のつながりもないことになっています。

アクエンアテンの一神教は、彼一代限りで捨てられました。でも、それはあくまでも国家の宗教としては、ということであって、どこかにアテン神を信仰する少人数のグループが残っていた可能性はあります。そうしたものにモーセが啓発された。そう考えれば、モーセが「一神教」という人間にとって極めて不自然な信仰を唱えた理由も説明がつきます。

いずれにしても、大きな流れとして、わずかな期間にエジプトという同じ場所を経て、二つの一神教が生まれたことは事実なのです。

ユダヤ教はなぜ普及しなかったのか

アクエンアテンの一神教は短期間で失われてしまいましたが、その後生まれたユダヤ教は、キリスト教とイスラム教という二つの一神教を派生させています。ですから、ユダヤ教とキリスト教とイスラム教は、異なる宗教ではありますが、信仰する唯一神は同じなのです。

この三つの一神教が信仰する唯一絶対神は、「ヤーウェ」や「エホバ」「主」「アッラー」などさまざまな呼び方がされていますが、こうした呼び名はどれも固有名詞ではなく、単に「神」を意味する言葉です。

ですから、日本では、ときどき「アッラーの神」と言っているのを耳にすることがありますが使い方としては誤りです。

三つの一神教のうち、キリスト教とイスラム教は、民族や国を超越した世界宗教になっていますが、ユダヤ教だけは世界宗教になっていません。ユダヤ教徒は、自分たちの信仰を守ることに関しては非常に頑なですが、自分たちの信仰を周囲の人々にまで広げようという意識は持っていません。

これは、一つにはユダヤ教の救いが、ユダヤ民族だけに約束されたものだということに関係しています。

ユダヤ人（Jews, Jewish people）は、イスラエル人、あるいはヘブライ人とも言います。イスラエルとヘブライの違いは何かというと、ヘブライというのは、外からの呼称です。つまり、たとえるなら、日本を外国人が「ジャパン」と呼ぶのと同じです。イスラエルが日本、ヘブライがジャパンに相当すると考えるとわかりやすいでしょう。ですから、彼らは自分たちのことをヘブライとは言わずイスラエルと称します。

ユダヤ教の聖典でもある『旧約聖書』によれば、ユダヤ民族の始祖はアブラハムという人物で、彼がメソポタミアの南部にあったウルという町から一族を連れて、現在のイスラエルにあたる「カナンの地」へ移住したのが始まりだとされています。

その後、アブラハムの孫ヤコブはエジプトへ移り住み、その子孫はエジプトで奴隷になってしまいます。エジプトでの奴隷時代は約四百年続き、その子孫の中から生まれたのが出エジプトを指導した預言者モーセです。ですから、ユダヤ人の出エジプトは、モーセによる奴隷解放とも言えるものなのです。

モーセに率いられエジプトを出たユダヤ人たちは、神に与えられた「約束の地」と信じるカナンの地を目指します。そこは、かつて祖先アブラハムが住んでいた土地ですが、すでにほかの民族が住んでいました。そのためユダヤ人たちがカナンの地に定住するまでには長い年月を要しました。やっとパレスチナの地に古代イスラエル王国を建国したユダヤ人は、前一〇〇〇年頃ダビデ王のもとで絶頂期を迎えます。

しかし、ダビデの後を継いだソロモン王が亡くなると、古代イスラエル王国は北のイスラエル王国と南のユダ王国に分裂してしまいます。

イスラエル王国は、前七二二年にアッシリアに滅ぼされ、ユダ王国は前六〇九年にエジプトの支配下に入り、そのエジプトが新バビロニアに敗れると、奴隷としてバビロンへ連行されてしまいます。いわゆる「バビロン捕囚（前五八六年）」です。

バビロン捕囚は、前五三八年にペルシア王キュロス二世がユダヤ人の帰還を許すまで、約五十年間続きました。

実は、ユダヤ教の聖典となっている『旧約聖書』は、この捕囚時代につくられたと言われているのです。つまり、大変な危機に陥っていたからこそ、自分たちの民族的結束を守るためにも、ユダヤ教の聖典として民族の歴史をまとめあげたということです。

ユダヤ民族の歴史は、北のイスラエル王国も南のユダ王国も滅ぼされ、信仰の拠り所であったエルサレムの神殿も破壊されてしまったため、史料らしきものは『旧約聖書』ぐらいしかありません。そんな中で、非常に貴重な史料が大英博物館（British Museum）にあります。

ブラック・オベリスクと呼ばれるその石碑には、北イスラエルの王イエフ（在位前八四二頃～前八一五頃）の姿が描かれているのですが、それは、『旧約聖書』

に名前が登場するユダヤ人の唯一の図像なのです。

しかし、残念ながらその姿は、アッシリアの王シャルマネセル三世（在位前八五八～前八二四）の足下に、頭を地につけんばかりにひれ伏すという、非常に惨めなものです。

この惨めな姿に象徴されるように、当時のユダヤ人は、アッシリアだけでなく、ペルシアやほかの大国から自分たちの小さな民族を守っていくだけで精一杯で、とてもではありませんが、自分たちの宗教を外に布教するなどということはできなかったのです。

■ブラック・オベリスク

高さ198センチメートルの塔のような形をしたオベリスク。シャルマネセル３世が周辺諸国に遠征したときのことが楔形文字とレリーフで描かれている。上から２段目に、ひれ伏す王イエフの姿がある。

ユダヤ教は、ユダヤ民族がこうした非常に弱い立場だったために、民族宗教の段階で終わってしまったのです。

宗教対立は一神教の宿命

ユダヤ教は、大きな世界の中ではマイノリティでしかありませんが、そこから派生したキリスト教は、世界のマジョリティに成長します。

キリスト教も最初はマイノリティでした。その流れが変わったのは三一三年のミラノ勅令でした。これによりキリスト教はローマ帝国で公認されました。

そんな時代のローマを舞台にした映画があります。女性天文学者ヒュパティア（四世紀末頃に生きていた）の人生を描いたスペイン映画『アレクサンドリア』（二〇〇九年／日本では二〇一一年公開）です。

物語の舞台は、ローマの支配下にあった四世紀末のエジプトの都市アレクサンドリア。この映画の中で自分の学問を貫いたヒュパティアはキリスト教徒から迫害され、最期は殺されてしまいます。

ショッキングな話ですが、これは映画のためにつくられた物語ではなく、実際にあった話です。この時代は、古代キリスト教最大の教父と言われている、アウグスティヌス（三五四〜四三〇）が生きていた時代です。彼の活躍によってキリスト教はマジョリティになっていったのですが、多数派になったことによって、今度はキリスト教徒が異教徒を迫害するようになっていったことをこのヒュパティアのエピソードは伝えているのです。

キリスト教徒は今でもよく「われわれは弾圧された」「迫害を受けた」と言いますが、迫害されていた人たちがわずか百年程度で、今度は迫害する側になっているのです。中世の魔女裁判は有名ですが、実際にはもっと早い段階から、キリスト教徒は異教徒を迫害していたのです。

悲しいことですが、一神教が宗教的マジョリティになると、どうしてもこういうことが起こってくるのです。実際、同じようなことはイスラム教でも起きています。イスラム教ではキリスト教とイスラム原理主義者の対立のほかにも、イスラム教内部でもシーア派とスンニ派という対立があります。キリスト教もカトリックとプロテスタントの確執は根深く、かつてはその対立が戦争にまで発展した例もあります。

こうした宗教的対立は、一神教につきまとう「宿命」なのかもしれません。なぜなら、一神教は唯一絶対神であるが故《ゆえ》に、ほかの神の存在を許容できないからです。

実際、宗教に起因する対立は、そのほとんどが一神教相互、あるいは一神教の内部で起きています。そういう意味では、一神教は常に大きな問題をはらんだ宗教だと言えるのです。

ここで少し考えておきたいのは、原理主義がなぜ対立や争いに結びつくのか、ということです。

日本ではあまり報道されていませんが、プロテスタントの多いアメリカには原理主義的なところがあり、今でも進化論を信じていない人が五〇％以上いると言われているのです。

その典型が「アーミッシュ」と呼ばれる人々です。彼らは宗教的つながりの強いドイツ系移民の団体で、いまだに移民当時の生活様式を頑なに守って生活しています。つまり、コンピューターや電子機器はもちろん、電話も電気さえも使用せず、農耕と牧畜を中心とした自給自足の生活を続けているのです。これも一種の原理主義です。

二〇〇六年、このアーミッシュの小学校に銃を持った男が乱入し、五人の児童が亡くなるという事件がありました。悲惨な事件ですが、原理主義者であるアーミッシュの人々は、聖書に書かれている「汝《なんじ》の敵を愛せよ」というキリストの言葉を実践するために、驚くべき行動をとりました。

なんと、我が子を殺された両親が、犯人を許すと公《おおやけ》の場で発言したのです。この発言が口先だけのものでないことは、事件後、自殺した犯人の葬儀に、何人かのアーミッシュが参列したことからも明らかです。

この事件は、その後のアーミッシュの言動とともにアメリカでとても大きく報道され、物議を醸《かも》しました。

キリストの教えに従い、許しを実践したアーミッシュに賞賛の声を寄せる人もいれば、我が子を殺されて怒らないなんておかしいという批判もありました。賛否はともかく、アメリカには現在も多くのキリスト教原理主義者がいて、原理主義者とまではいかなくても、原理主義を実践する人々を賞賛する人々も少なからずいる、ということです。

でも、同時にアメリカは、よく戦争をする国の一つでもあります。「愛と平和」を祈り続けたキリスト教が、二千年かけてもこの世から戦争をなくすことができないのはなぜか？

この問題に切り込んだ好著があります。石川明人《いしかわあきと》氏の『キリスト教と戦争』（中公新書）です。著者である石川氏は自らクリスチャンでありながら、「その時々のキリスト教徒の過ち」というよく用いられる言い訳に甘えることなく、この問題を追究しています。

この本の中で石川氏は、もしキリスト教がイエスの言葉通り、あるいはパウロの言葉通りに、原理主義的な立場をずっと守っていたとしたら、キリスト教は絶滅したか、生き残ったとしても極少数派になっていたことだろう、と言っています。

古代ローマのキリスト教徒の中には兵役を拒否した人もいました。しかし、その最大の理由は、人を殺すことに対する嫌悪ではなく、軍隊生活の中で異教の神々を拝まされることに対する拒否感でした。そのため、四世紀になってキリスト教が公認されると、キリスト教徒の兵役拒否は非難され、ときには破門という厳罰さえも科せられるようになっていきました。

この頃から「悪を滅ぼすための正戦論」が生まれ、これは中世のスコラ哲学を経て、神の命令を遂行する「聖戦」という考え方にまで発展していきました。

このことが、本来なら「愛と平和」「敵を許し愛する」という神の教えに忠実な原理主義者だったはずなのに、神の教えに忠実だからこそ、進んで神の命令を遂行する聖戦に参加する原理主義者を生み出してしまったのです。実際、十字軍後期の頃には、自らを「キリストの兵士」と称する修道士たちもいました。

そして、戦いに勝ってきたからこそ、キリスト教は世界のマジョリティになったのです。

イスラム教対キリスト教という構図の嘘

日本人は「戦争」と聞くと、その原因として領土や資源の争いを考えますが、世界では宗教に起因する戦争が数多く起きています。

「宗教戦争」は、大きく二つに分けられます。一つは一神教同士、たとえばキリスト教対イスラム教といった異教徒同士の争いです。

もう一つは、同じ宗教の中での抗争、たとえばキリスト教の正統と異端をめぐる争い、という形で争いが繰り返されるものです。

近親憎悪という言葉がありますが、実は同じ宗教の内部の争いはその解決が非常に難しく、十七世紀のヨーロッパにおける宗教戦争は、まさにこの内部の争い、カトリックとプロテスタントの戦いでした。

このカトリックとプロテスタントの争いは、一六四八年に締結されたウェストファリア条約（Peace of Westphalia）の締結まで三十年も続きました。

幸いこのあとは、少なくともヨーロッパでは大規模な宗教戦争は起きていませんが、イスラム世界では、いまだにスンニ派とシーア派の抗争が続いています。

ヨーロッパではウェストファリア条約の締結によって、カルヴァン派やルター派といったプロテスタントが社会的に認められたわけですが、実はこのことが国民国家の出発点にもなっていると言われているのです。

キリスト教、つまり宗教という大きなつながりが外れ、国家なり国民なりのつながりが強固になっていったことで、国家同士の対立という、別の形の戦争が起こる原因となった、というのです。

内部抗争でさえ、これだけ激烈なのだから、異教徒同士の争いはさらに激化するのではないかと思うかもしれませんが、イスラム教とキリスト教が戦争をしているのかというと、実はそうではないのです。

その証拠に、今も難民が多数ヨーロッパに押し寄せていますが、彼らはみなイスラム教徒です。宗教として敵対しているのであれば、敵のところに助けを求めてくるはずがありません。

イスラム教がキリスト教圏にテロ行為を仕掛けているのではなく、あれはイスラム教徒の中のごく一部、「聖戦」を信じる過激なイスラム教原理主義者たちが仕掛けているのです。

明らかな「イスラム教 対 キリスト教」の戦いに見える十字軍のときにしても、厳密に言うと、あれはたまたまトルコ勢がイスラム教圏で、ビザンツ（東ローマ）帝国がキリスト教圏だったというだけのことであって、宗教間の争いではないのです。

ビザンツ帝国は、トルコ勢に攻め込まれ、自分たちが負けそうになったので同じキリスト教圏のカトリック教徒である西ヨーロッパに援助を要請したに過ぎません。結果的にイスラム教とキリスト教の対立という形になってしまっていますが、当時の小アジアやシリアにはキリスト教徒もいっぱいいて平和に共存していたのです。

実際、当時の史料を見ると、キリスト教がなぜ敵意を持ってわれわれのところに攻めてくるのかわからずに人々が困惑していたことを示すものが数多く残っています。

ただ、このときヨーロッパ側が人員を集めるために「聖地奪還」を掲げ、「聖戦」としたことで、迎える中東側も聖戦に対するものとして「ジハード（聖戦）」という形での対立が生じたのです。

キリスト教が「聖地奪還」という美名で、聖地を独占しようとしたところに問題があったと言えるでしょう。なぜなら、先ほど小アジアではキリスト教徒とイスラム教徒が共存していたと言いましたが、当時は聖地も暗黙の了解のもとに共有していたからです。

ですから、実は、イスラム教とキリスト教の対立というのは、日本人の私たちが考えているほど根深いものではないのです。その証拠に、実際に聖地エルサレムに行くとわかりますが、イスラム教はキリスト教を完全に排除することなく、その存在を認めています。

イスラム原理主義者のせいで、イスラム教は怖いというイメージが蔓延《まんえん》してしまいましたが、イスラム教の聖典である『コーラン』を読むと、その教えが決して恐ろしいものではないことがわかります。イスラム教は弱者救済的な面が強く、有名な一夫多妻にしても、その背景にはお金持ちが孤児や父無し子を救済するためのものという一面もあると言われています。

弱者救済は、『旧約聖書』にも『新約聖書』にも、『コーラン』にもある、三つの一神教すべてに共通する倫理的な教えです。三つの一神教は、そういう親近性と言えるものを持っているのですから、本来なら相互に対決すべきものではないはずなのです。

ユダヤ教は『旧約聖書』を聖典として、キリスト教は『旧約聖書』と『新約聖書』を聖典としています。イスラム教もイエスを否定しているわけではありません。イエスは数多く存在した預言者の一人で、ムハンマド（モハメッド）を最高の預言者と位置づけているだけです。つまり、キリスト教とイスラム教の違いは、その価値をどこに置いているかだけなのです。

とはいえ、キリスト教とイスラム教の対立がないわけではありません。もちろん両者は行動原理が違うので、受け入れがたい部分をお互いに持っていることも確かです。

しかし、そんなに目くじら立てて、命がけで戦うほどのことはないというのが、ほとんどのイスラム教徒、キリスト教徒の正直な気持ちだと思います。

「ローマ」は欧米人の自負心の源である

キリスト教のトップは、カトリックの総本山と言われるバチカンのローマ教皇です。

ローマ教皇はカトリックのトップですが、カトリック信者だけではなくプロテスタントの人々もある種の畏敬の念を持っています。

事実、中国の習近平《しゅうきんぺい》総書記とローマ教皇が同時期にアメリカを訪問したことがあったのですが、マスコミの扱いは、圧倒的にローマ教皇のほうが上でした。その報道のあまりの格差に、アメリカはプロテスタントの国なのに、やはりローマ教皇だけは特別な存在なのだと改めて思ったほどです。

ローマ教皇がなぜ広く尊敬を集めているのか、不思議に感じる日本人もいるようですが、実は欧米人にとって、「ローマ」は今も特別な存在なのです。

ローマは、あれほど広大な地域を、あれほど長いあいだ平和に治めた大国であるだけでなく、欧米人にとってはルーツなのです。そのためローマは、欧米人の自負心の源であると同時に理想でもあるのです。

欧米ではこうした意識を「ローム・イディ（Rom idee）」と言います。

日本ではほとんど知られていない言葉ですが、あえて訳すとすれば、「ローマ的理念」あるいは「ローマ的理想」と言えると思います。要するに、キリスト教世界の精神的な拠り所になっている、その根底にローマがあるのです。

ローマ帝国が滅んでから今に至るまで、欧米、特にヨーロッパ人の心には、こうした思いが根強く生きているのです。

極端な言い方をすれば、ヨーロッパ人の心の奥底には、今もローマの再現、つまり「ローマによる世界統合を目指す」という意識があるのかもしれません。そして、こうした思いの発露は、歴史の中で繰り返し起こっています。たとえば、神聖ローマ帝国もそうですし、フランス革命もそうです。これはフランス革命後の役職名を見るとよくわかりますが、コンスルなど、ローマ共和政の役職をそのまま採用しているのです。また、あまりいい例ではありませんが、ナチの根底にあるのも、やはり一つのローム・イディです。

そう考えると、皮肉な話ですが、キリスト教がこれほど大きくならなければ、イスラム教もこれほど大きくならなかったかもしれません。

ある意味、ローム・イディも含め、双方が持つ野望がしのぎあった結果、世界を二分するような大宗教に成長したのかもしれないということです。

戦争は今のままの宗教ではなくならない

宗教に戦争をとめる力がないどころか、戦争の火種になる可能性があるのであれば、戦争は永遠になくならないのでしょうか。

勝っても負けても、戦争は常に悲しい現実を残します。

世界史の中には、国の復興に喜びを見いだし、戦争を放棄した為政者の例があります。

十二世紀半ば、第二次十字軍が動き出し、それに対抗するためにイスラム勢力の統一が求められていたときに、シリアの要衝ダマスカスをあっさり併合し、シリア内陸部を支配下に置いたザンギー朝の青年君主ヌール・アッディーン（在位一一四六～一一七四）です。

彼のお陰で第二次十字軍は、成果を挙げることなく撤退しています。

その後も支配圏を広げていたアッディーンですが、一一五六年、シリア全土を襲った大地震が、その後の彼の生き方を大きく変えました。

地震は都市という都市を襲い、建物は言うまでもなく、道路や橋も壊れ、その壊れたところにあふれた河川の水が流れ込みました。

このときから、アッディーンの頭には、被災者を救助し、被災地を復興することしかなくなります。その結果、ダマスカスもアレッポも、以前の町を知る人が我が目を疑うほどに壮麗で効率的な都市に生まれ変わったと言います。

このとき生まれ変わったのは、都市だけではありませんでした。アッディーン自身も、生まれ変わったのです。

恐らく彼は、必死に復興事業を指揮する中で、これまで自分が行ってきた戦争が、所詮破壊行為に過ぎないことに気づいたのではないでしょうか。しかも、戦争による破壊は、自然災害よりも始末が悪いということも知ったのでしょう。

これに対し、復旧・復興事業は、新たにものをつくりだす創造行為です。その素晴らしさを知ったアッディーンは、それまで自分が熱心に行ってきた戦争というものが、ひどく疎《うと》ましいものに感じられたのではないでしょうか。

確かに、このアッディーンのように、個人的な経験から戦争をその人生において永遠に放棄することはできるでしょう。しかし、それが恒久的に続くかというと、無理だと思います。

アッディーンの臣下であったサラーフ・アッディーン（サラディン）は、後にイスラム世界の統一者になっています。彼はアッディーンに戦いを挑むことこそありませんでしたが、その統一は武力行為で成し遂げられたものです。

ヌール・アッディーンの望んだ平和で創造的な社会は、彼一代で終わっているのです。

アッディーンが悟ったように、戦争は勝っても負けても破壊しかもたらしません。それなのに、もう二千年以上も戦争を繰り返しているということは、今のままの宗教では、人間は戦争をやめることはできないのではないでしょうか。

誤解しないでいただきたいのですが、私はだから諦めろと言っているわけではありません。現在の状況は、紀元前一〇〇〇年頃に、人間が意識を持ったことから始まっているのですから、現状を打開するためには、もう一つ、人類が新たなステップに進むことが必要なのではないか、と言いたいのです。

つまり、現状のままでは、ある期間、ある地域で、平和が実現できたとしても、その期間が過ぎたり、異なる価値観を持つ人々がその地域に入ってきたりすれば、また対立が生じ、元の争いあう状況に陥っていく危険性が高い、と思うのです。

繰り返しますが、人類が戦争を恒久的に手放すためには、人類全体が、何かしらの形でステップアップしないといけないのではないか、という気がするのです。

今、日本は、憲法九条に関わる問題で揺れています。

しかし、平和憲法を日本一国が掲げるだけで世界平和が実現するとは思えません。

実際かつて人類は、第一次世界大戦の悲惨な結果を反省し、世界七八カ国によって不戦条約を締結したことがありました。

一九二八年に締結されたケロッグ=ブリアン条約です。別名「パリ条約」とも言われるこの条約の成立は、世界の人々に恒久平和がもたらされるのではないかという希望を与えました。

しかし、現実はどうだったでしょう。

わずか十年ほどで、第二次世界大戦は始まってしまいました。

今、日本では、戦争の全面放棄を掲げ、憲法九条を死守しようと言っている人がいますが、戦争の全面放棄などというのは、ケロッグ=ブリアン条約のときからすでに、ある意味、国際協定として当たり前のこととなっているのです。

それでも戦争がなくならないのは、それぞれの国が「自衛力を持つかどうか」

「自衛権を行使するかどうか」という点において、異なる考えを持っているからなのです。

そんな状況で、「どうすれば戦争をなくすことができるのか」と問われたとき、私はやはり「人類が何らかの形で、かつて前一千年紀に行ったような、大きなステップアップを遂げるしか方法はない」と思うのです。

第6章

共和政から日本と西洋の違いがわかる

なぜローマは「共和政」を目指したのか

プラトンは独裁政、アリストテレスは貴族政を推奨した

私たち日本人の多くは、政治の中で民主政が最も優れていると思っています。『広辞苑』（第六版・岩波書店）では、「民主政（民主政治）」を「主権が人民にあり、人民の意志に基づいて運用される政治」としています。

その民主政を最初に行ったのは、古代ギリシアでした。ギリシアの民主政は、理想的な直接民主政です。自由人である民衆は、すべて平等な立場で政治に参加することができました。民衆は「アルコン（支配者を意味する最高官職）」をはじめとする役人を選ぶ権利を持ち、下級の役職は財産の多《た》寡《か》にかかわらず持ち回りで務めました。これほど徹底した民主政を行ったのですから、古代ギリシア人たちは、さぞかし自分たちの民主政を誇っていただろうと思うかもしれませんが、実はそうでもないのです。

プラトン（前四二七～前三四七）は、『国家（The Republic）』という著書の中で、民主政ではなく「哲人王」による統治を提唱しています。これは、人間的に

教養と見識を兼ね備えた「哲人」が王として独裁政を布《し》くというものです。つまり、優れた人間による独裁が一番いいと主張したのです。

実際プラトンは、シチリアのシラクーサでディオニュシオス二世（前三九七～前三四三）という哲学的素養のある独裁者が出てきたとき、その人を守《も》り立《た》てるべく、政治に深く関わります。しかし、彼の努力は実らず、最終的にはプラトンはシラクーサを追われてしまいます。

このように、プラトンが理想とした「哲人王」は実現しなかったのですが、それでも彼の理想は最後まで変わることはありませんでした。

プラトンに師事したアリストテレス（前三八四～前三二二）も民主政を理想とはしていません。

アリストテレスが推奨したのは、貴族政でした。これは「寡頭政《かとうせい》（oligarchy）」と言ってもいいでしょう。つまり、特定の少数の人々が政治的権力を握ることがいいということですが、アリストテレスは、その少数の人々は「貴族」がいいとしたのです。共和政期のローマの元老院支配などは、アリストテレスの理想とした貴族政に近いものと言えます。

ギリシアで民主政が評価されなかった理由

プラトンもアリストテレスも、なぜ民主政を評価しなかったのでしょうか。彼らが活躍したのは紀元前四世紀。実は、この時代は、ギリシアの民主政が失敗した時期だったのです。

では、なぜギリシアの民主政は失敗したのでしょう。

これを理解するには、ギリシアの政治史を知っておく必要があります。

ギリシアの一番古い時代、ポリスがまだできたばかりの頃は王が統治していました。王による独裁です。これは自然発生的に生まれました。

それが次第に、集団で指導する体制「貴族政」へと変化していきます。ただし、貴族政といっても、貴族全員が参加して政治を行うのではなく、貴族の中から代表者を選び、政治を行うというものでした。この貴族の代表者のことを「アルコン」と呼びます。

貴族政も最初のうちは上手くいっていたのですが、時が経つにつれて貴族間に対立が生まれ混乱していきました。そして、「アン・アルコン」というアルコンのいない状態に陥っていきます。アルコンを選出できない時期は短期間でしたが、混乱は続きました。

ちなみに、アン・アルコンが音便化した「アナルコン（anarchos／支配がない）」が、「アナーキー（無政府状態）」という言葉の語源です。

ギリシアで混乱した状態が続くと、今度はその混乱を強い力で収めようとする動きが出てきます。こうして出てきたのが、英語で「タイラント（tyrant）」、ギリシア語では「ティラノス（τυραννος/tyrannos）」、日本語では「僭主」と訳される、要は独裁者です。

独裁者というと傲慢な悪人というイメージがありますが、僭主の中にはプラトンが「哲人王」として提唱したような非常に優れた人もいました。その代表が、アテネのペイシストラトス（生年不詳～前五二七）です。

ペイシストラトスは、武力でほかを屈服させて僭主になるのですが、僭主になってからは、非常に優れた政治を行っています。そのためアテネは、彼が僭主になって以降、急速に国力を充実させ、ギリシア第一の都市国家になるのです。

ペイシストラトスは、国を豊かにし優れた政治を行いましたが、彼の後を継いだ息子たち、ヒッピアスとヒッパルコスは、独善的な僭主になってしまいます。ギリシアのアテネで民主政が誕生するのは、このペイシストラトスの二人のダメ息子がいなくなった後のことです。

アテネの民主政が完成したのは、クレイステネスがスパルタと結んでヒッピアスを追放し、実権を握り改革を断行した後です。またこの頃、僭主の出現を阻むための市民投票、オストラシズム（陶片《とうへん》追放）の制度も出来あがりました。

こうして紀元前五世紀中頃、ギリシアは「ペリクレス時代」と呼ばれる民主政の時代になります。原則として成人男子の市民なら誰でも公職に就くことができるというもので、投票だけでなく、クジで選ばれることもありました。

しかし、それも長くは続きませんでした。

前四三一年、アテネを中心とするデロス同盟とスパルタを中心とするペロポネソス同盟との間に起きたペロポネソス戦争（前四三一～前四〇四）で、ギリシア世界全体が内乱状態になってしまったからです。

アテネでもリーダーシップをとっていた人々がポピュリズム（大衆迎合主義）

に走ったことで、一見理想的に思えた民主政は衆愚政治とも呼ばれる混乱期へと変貌してしまいました。

ペリクレスが優れた政治を行えたのは、彼が民衆をきちんと説得することができたからでした。

しかし、ペロポネソス戦争以降、民衆を説得できる人は現れず、説得できないが故に、民衆が喜びそうなことばかりを、まるで目の前に餌《えさ》をぶら下げるかのように提示したので、結果的に国家は混乱状態に陥っていったのです。

アテネの民主政は、その後、再び力を取り戻すことはなく、再びギリシアの混乱を力で収める形で独裁者が台頭してきます。しかし、二度目の独裁者は、もはやギリシア人ではなく、マケドニアのフィリッポス二世（在位前三五九～前三三六）とアレクサンドロス大王の親子でした。

プラトンやアリストテレスは、民主政がポピュリズムへと変貌していく姿を目の当たりにしていたので、民主政に対してあまりいい評価をしなかったのです。

ギリシアは内紛が多かったので大国になれなかった

理想的に思えた古代ギリシアの「民主政」は、こうして失敗しました。

そして、ギリシアが混乱する中、台頭してきたのが北方にいたマケドニアのフィリッポス二世でした。

フィリッポス二世は、ギリシアを征服し、その後を継いだ息子のアレクサンドロス大王は、さらにギリシア支配を強力に推し進め、やがてはペルシア帝国をも倒す東方遠征へと進んでいきました。

アレクサンドロス大王が東へ向かったときには、彼はすでにギリシア全体の王になっていました。ということは、ギリシアの政治は、王政から貴族政になり、貴族政が混乱すると僭主が現れ、独裁政になる。その後、混乱して、民主政になり、また混乱して再び王政が出てくるということですから、一周して元に戻ってしまったわけです。

『歴史』の著者ポリュビオスは、こうしたギリシアの政体の変化を「政体循環論」という形でまとめあげました。

そして、ギリシアは、独裁政、貴族政、民主政といろいろな勢力が権力を持つことを繰り返してきたために、常に内紛状態になりやすく大きな国家として成長することができなかった。

それに対しローマは、独裁政、貴族政、民主政というギリシアが一つずつ行ってきた三つの政体をバランスよく組み込んだ政治（共和政）を行ったので、国家を大きく成長させることができた、と結論づけたのです。

つまり、独裁政はコンスル、貴族政は元老院、そして民主政は民会がそれぞれ相当しており、それらが非常によいバランスを保っていたというのです。

ポリュビオスは、ギリシア人でありながら、人質としてローマに連れていかれ、そのまま二十年近くローマに滞在した人です。ローマからするとギリシアは文化的先進国なので、ポリュビオスは人質といっても、スキピオ家というローマの名家に滞在し、非常に厚遇されていました。そこで彼は、ローマの社会を内実から見ることができたのです。

もちろん、いくらバランスがいいといっても、ローマにも権力争いはあります。しかし、ギリシアに比べれば、内紛がはるかに少ないことに彼は感嘆したのだと思います。

だからこそ彼は、ギリシアが内紛で消耗したエネルギーを、ローマは外に向けることができたので、ローマは大国にのしあがることができた、と結論づけたのです。

古代ローマの共和政は「王者の集まりのごとく」だった

現在使われている「共和政（共和制）」や「共和主義」という言葉は、もともと「Res publica（レス・プブリカ）」というラテン語を語源としています。

『広辞苑』（第六版・岩波書店）では「共和政（共和制）」を「主権が国民にあり、国民の選んだ代表者たちが合議で政治を行う体制。国民が直接・間接の選挙で国の元首を選ぶことを原則とする」としています。共和政と共和制の使い方の違いについては後述します。

実はこの「Res publica」という言葉は、古代ローマでは「国家」を意味する言葉でした。

第3章でも触れましたが、古代ローマの人々は、基本的には、自分たちの国を「SPQR」と呼びました。

これは「Senatus Populusque Romanus」の頭文字を取ったもので「ローマの元老院（貴族）と民衆」という意味で、古代ローマの主権者を示すものです。

この言葉の中には、元老院と民衆という言葉が含まれています。つまり、これは国の名前であると同時に、階級的、あるいは身分的な区別を示すものでもあるのです。つまり、ローマはセナートゥス（元老院貴族）という、由緒正しき人たちが民衆の上にいることを前提にしており、ローマのリーダーシップは元老院がとる、ということです。

先述したように、古代ローマを舞台とした映画『グラディエーター』（二〇〇〇年公開）の中に、ラッセル・クロウ演じるマキシマスという主人公が、ローマ兵に追われるなか、腕に入っているSPQRという入れ墨を消すシーンがあります。あのシーンには、SPQRの入れ墨を消すことで、自分がローマの兵士だった痕跡を消し、ローマと決別するという主人公の強い思いが込められていたのです。

SPQRの意味を知らない日本人には、そのことはあまり伝わらなかったようですが、イタリア人はもちろん、欧米の人たちは、みんなSPQRがローマ帝国の正式名称であることを知っています。ですから、あのシーンを見ただけで、主人公がそれを消す気持ちも理解できたのです。

「SPQR」という言葉はローマ帝国の滅亡後も、ローマ市民であることの栄光と誇りを象徴するものとして人々の中で生き続けてきました。その証拠に、今でもローマの町には「SPQR」という文字がマンホールの蓋など、いろいろな場所に刻まれています。

ローマ市民の誇りでもあった「SPQR」のほかにもう一つ、ローマ人は、自分たちの国を表わす言葉を持っていました。それが「Res publica」です。

「Res publica」はもともと「公」を意味するもので、それが次第に「国家」を意味するようになっていきました。

その公であり国家であった「Res publica」が、共和政や共和主義の語源となったのは、ローマという国家の運営が共和政によってなされていたからです。

■ SPQR

「ローマの元老院と民衆」を意味する「SPQR」は、現在、ローマ市のマンホールの蓋でも見かける。

共和政の特徴は、ある種の「有《ゆう》意《い》の人々」「見識ある人々」が合議制によって、物事を進めることにあります。ですから、現在の代議制による間接民主主義も、共和政の一つと言えます。つまり、今の日本の政治形態も、共和政と言えば共和政なのです。

古代ローマの共和政が現在の代議制と大きく異なるのは、代表を選挙で選ぶのではない、ということです。

先ほど、ローマには厳然とした身分格差があり、元老院貴族がリーダーシップをとっていたと述べました。なぜ元老院貴族が上なのかというと、元老院貴族は、家柄もよく、見識にも優れた「秀でた人々」だと考えられていたからです。

前三世紀の前半のことですが、ローマに降伏を迫ったギリシアの講和使節がローマの元老院を訪れた感想を尋ねられ、「私には、元老院は数多くの王者の集まりのごとく見えました」という言葉を残しています。

つまり、ローマの元老院貴族は、一人ひとりがまるで王であるかのような威厳に満ちていたということです。

ローマの元老院貴族は、単に身分におごった支配層ではなく、確かに「有意の人々」であり「見識ある人々」であったのです。

ですから身分の格差はありましたが、ローマの共和政は、「権威ある人々」が「有意の人々」であり、「見識ある人々」として合議制を行っていたのです。

ローマ人はなぜ「権威」を大切にしたのか

ローマにおける貴族は、「権威ある人々」でした。

でも、その「権威」は、必ずしも血筋によるものだけではありませんでした。

では、ローマにおける権威の内容とは、何なのでしょう。

ローマにおける「権威」は、いろいろな要素を持っているので一概には言えないのですが、あえて具体的に挙げるとすれば、一つは「家柄」、もう一つは「武勲」です。それに加え、実は「見《み》栄《ば》え」も権威を支える要因の一つでした。

現代は見た目よりも中身のほうが大切だという考えが主流ですが、現実社会では、見た目が大きな力を持っていることは事実です。

ローマ人は正直なので、それなりの身なりをしていること、また格好が人より優れているということは、大事な権威の要因の一つでした。

もし、ローマにおける「権威ある人々」を現代の人でわかりやすくたとえるとしたら（まあ、好き嫌いがあるので反発する人もいるかもしれませんが）、私は、日本人なら石原慎《いしはらしん》太郎《たろう》氏のような人ではないかと思っています。

彼は家柄が飛び抜けていいわけではありませんが、芥川賞を受賞したり、弟に大スターの石原裕《いしはらゆう》次郎《じろう》がいたりと、ローマでいう家柄にあたるようなものを持っています。

武勲としては、芥川賞を受賞した作品だけでなく、作家として数々の作品が世に認められていますし、政治家としても結果を出していることが挙げられます。何しろ東京都知事選では三〇〇万票を得ていますから、ローマ時代で言えば、立派な武勲にあたります。

それに、彼は背が高くて、たくましくて男前。見栄えがいいのです。

私の意見を押しつけるつもりはありませんが、要は、名家あるいは有名人の血統で、自分自身も世間から認められる結果を出した人で、見た目もいい、という人をイメージしてもらえればいいと思います。

ローマ人は、「権威をもって統治せよ」という言葉を残しているぐらいですから、政治には権力だけではなく、権威が必要だということを、よくわかっていたのだと思います。だからこそローマは、衆愚政治に陥る危険性を持った民主政ではなく、「権威ある人々」による合議制、つまり共和政を選んだのです。

しかし、こうした「権威」の内容は、時代とともに変化するうえ、今は、誰が本当の意味で権威を持った人なのかがわかりにくくなっています。

ですから、近代以降は、同じ「共和」でも、三権分立などさまざまな制度を設けた上で、より多くの人々が参加できる形での共和が模索されていきました。そのため、近代以降は、制度の制を使った「共和制」という言葉が使われるようになったのです。

共和政と共和制の違いは何かというと、ごく簡単に言えば、権威に基づいて選ばれた人々による合議制なのか、選挙によって選ばれた人による合議制なのか、だと言えるでしょう。つまり、近代以降は、選挙によって選ばれた人を、「権威ある人々」として正当化したわけです。

私がローマ史において、あくまでも「共和政」を使うのは、この違いを明確にしておきたいからです。

なぜアテネやスパルタではなく、ローマのみが強国になれたのか

先ほどギリシア人の使節が、ローマの元老院を「王者の集まりのようだ」と言ったというエピソードを紹介しましたが、権威を重んじたローマに対し、平等を重んじたギリシアでは、身分的な区別を表立たせることはしませんでした。もち

ろん、ギリシアにも貴族はいましたし平民もいました。つまり、現実には身分の差があるのですが、建前上それを明示しなかったのです。

そんなギリシアでは、クレイステネスの改革の過程（前六世紀後半）で、民主政があまりにも徹底されすぎたため、選挙ではなくクジで代表を決めていたことがありました。

選挙をすると、いろいろと細工して、結果を操作する者が出てくるので、いっそのことクジで当たった人がやるという形にしてしまおうということになったのです。

直接民主政を徹底させようという意識の高まりから、アテネでは前四五一年、民主政を推し進めるペリクレス（前四九五頃～前四二九）のもと、両親ともアテネ市民でないかぎりアテネ市民権を認めない、と定まります。これ以前は、父親がアテネ市民であれば認められていた市民権を、母親もアテネ出身者でなければ認めないとしたのです。

これによって、アテネ市民はすべて、両親ともアテネ市民の嫡出子《ちゃくしゅつし》だけ、ということになりました。これは移住者とその子供だけでなく、子孫にも適用されたため、アテネでは、これ以降、長期にわたってほとんど市民人口の変動がなかったと言われています。

アテネはペリクレスの市民権法以降、閉鎖的になりましたが、スパルタは、昔から大変厳しい鎖国体制がとられていました。

ここで言う鎖国体制は、江戸時代の日本のように国交を断つことではないのですが、外の人間を受け入れないという意味では鎖国体制と言えると思います。スパルタの全人口のうちスパルタ市民権（十八歳以上の成人男子）を持つのはわずか一万〜二万人ほどで、その約五〜一〇倍ほどいたほかの人々は劣格市民、あるいは隷属民という構成でした。スパルタは平等と民主主義が成り立っていましたが、それはあくまで市民権を持つ一万〜二万人の中だけのものだったのです。

アテネの場合は、スパルタほど徹底した鎖国体制ではありませんでしたが、やはりその平等と民主主義は市民権を持つ者の中だけで徹底したいという思いが強く、外の者を迎えることをよしとしない傾向が見られますから、やはり外部に対してはかなり閉鎖的だったと言えます。

ギリシア人は、市民団を閉鎖することで質の高い集団をつくり、その閉じられた市民団の中で平等を実現、維持しようとしたのです。

民主政を推し進めたギリシアでは、役職に就く人を一人ひとり細かくクジで選びました。一見するといいように思えます。実際、これはある程度の期間は上手くいきました。しかし、時が経つにつれ、プラトンやアリストテレスが指摘しているように、人間の能力の差がさまざまな軋轢を生み出し、次第に上手くいかなくなってしまいます。

皮肉な話ですが、ギリシアは民主政の理想を推し進めすぎた結果、民主政に対する評価が下がってしまったのです。

ローマの場合、ギリシアとは逆に、ローマ市民権を外に開放しています。つまり、外部の人間を公民として広く受け入れたのです。これは時代とともに徹底していき、二一二年、カラカラ浴場で知られるカラカラ帝（マルクス・アウレリウス・アントニヌス／在位二一一～二一七）は、ローマ帝国の自由人をすべてローマ市民として認めるというところまでいきつきます。

これによってローマでは、奴隷は別として、自由人であれば全員、ローマ市民権を持つことができたのです。

ただし、ローマ帝国の時代には、建前上は元老院の共和政を尊重していましたので、ローマ市民であるからといって、直接国政に参加できたわけではありません。

ちなみに「民主政」の反対が独裁政（君主政）です。

なぜローマが強国になれたのか――アテネでもなく、スパルタでもなく、ほかの何百、何千とあるポリスではなかったのか。

さまざまな要因が考えられますが、最も大きかったのは、「ほかのポリスがみな閉鎖的であったのに対し、ローマが開放的だったからだ」と私は思います。

でも、ローマが開放策をとることができたのは、国内に歴然たる身分の区別があったからなのです。

ギリシアは平等を重んじたが故に、外の集団に対して門戸を閉ざしました。

ローマの場合は、特権階級の存在を歴然と認めていたからこそ、外部の人間をローマ市民として受け入れることができたのです。

ローマとギリシアの諸ポリスには、こうした非常に大きな構造の違いがあったのです。

ローマとヴェネツィアから見る共和政のメリットとデメリット

世界史の中でも、共和政が五百年以上も続いた国家は、古代ローマと中世のヴェネツィア共和国ぐらいしかありません。

ローマはカエサルが登場して以降、独裁政とも言える帝政に移行していきますが、それ以前の五百年間は共和政国家です。ヴェネツィアの共和政はさらに長く、七世紀末から一七九七年までですから、一千年以上もの長きにわたって共和政が布かれていました。

これは非常に面白いことだと思います。

ローマの共和政は、民会もありましたが、権威を持った元老院が決定権を持って主導しました。ヴェネツィアの共和政にも指導者がいたのですが、この指導者を決めるやり方がちょっと面白いのです。

全市民の中から、まず最初に選ぶ人、つまり投票権を持つ人を誰にするかをクジで選びます。次に、クジによって選ばれた人の中から、リーダーにふさわしい人が選ばれます。ヴェネツィアでは、このようにある意味非常に複雑なステップを踏むことで、無作為に選ばれた人たちの中から本当に優れた人が選ばれる、という方法で自分たちのリーダーを選んでいたのです。

ヴェネツィアは共和政ですが、実際の運営・運用ということになると、いちいち議会で話し合ったり、決《けつ》を採ったりしていられないので、選ばれたリーダーにつけられた六人ぐらいのスタッフとリーダーの合議で物事が決められていました。基本的にはリーダーが決定権を持っているのですが、一応、合議の上で、という形がとられることで共和政の建前が大事にされていたのです。

こうしたやり方でヴェネツィアでは、王という存在が出てこないまま一千年もの長きにわたり共和政が続いたわけですが、それが可能だったのは、ヴェネツィアの共和政が、内部だけで続けられていたからでした。

ヴェネツィアは、地中海貿易で栄えた海洋国家の特性上いろいろなところに出掛けていきましたが、あくまでも拠点はヴェネツィアだけで、国を拡大していくことはしませんでした。

これに対しローマは、共和政国家でありながら、国土をどんどん拡大しています。

共和政では、合議制であるがゆえに、物事の解決スピードはどうしても遅くなります。これは共和政のデメリットと言えるでしょう。だからこそローマでは、国が拡大し、素早い判断が求められるようになったことで皇帝という独裁者が出てくるのです。

スピードに欠けるというデメリットがある共和政ですが、同時にそれは、独裁も革命も起きにくいというメリットにつながっています。

実際ローマも、長い間、独裁者の出現が危惧されていましたが、結果的に共和政期には独裁者を出していません。

大スキピオがハンニバルに勝ったことで、民衆から救国の英雄と称《たた》えられ、周囲に彼の人気を警戒する声が出ました。そこには英雄に対する嫉妬《しっと》という面も多少はあったと思いますが、やはりスキピオが独裁者になることに対する警戒心のほうが大きかったと思います。

共和政国家では、合議制で決めることになっている以上、物事はみんなで話し合って決め、そして話し合いで決まったことにはみんなで従おう、という意識が根底にあります。

そのため共和政下では、合議は基本的に漸進《ぜんしん》的な方向にいくことが多く、独裁者が出てくることも、革命にいたることもあまりないのです。

さらにローマの場合は、もともと元老院階級と民衆の間に格差という分裂があったことが逆に幸いし、前一世紀にカエサルが出てくる頃までは、一方が一方を倒すという派閥争いのような形の分裂が起きることもありませんでした。ローマの共和政が崩れたのは、カエサルというカリスマの登場によって、それまで一枚岩だった元老院に分裂が生じたからです。

世界の国々で、今も共和政が広く採用されているのは、共和政が独裁や革命というものを回避する優れたシステムとして評価されているからなのです。

日本に共和政が根づかない理由

先ほど日本の政治形態も共和政と言えば共和政だと申し上げましたが、日本には本当の意味での共和政が根づかない、とよく言われます。

でも、実は日本にも古くから共和思想は存在していました。

それは、日本人なら誰もが知っている「十七条憲法」の中にあります。

飛鳥時代、聖徳太子が定めた十七条の憲法の第一条は「和をもって貴しとなす」という有名な言葉から始まっていますが、これはまさに「共和」の本質を語っているものと言えます。

でも、その一方で、日本には共和政とは相反する「お上《かみ》」という考え方も、非常に強く根づいています。

ローマには歴然とした身分格差があったのだから、元老院貴族が日本の「お上」に相当するのではないか、と言う人がいます。元老院は「お上」ではなかった、とは言いきれませんが、やはり日本のお上に対する民衆の意識と、ローマの元老院に対する民衆の意識には大きな違いがあります。

最大の違いは、ローマでは元老院に対して、民衆が「ものを言えた」ということです。

当時の落書きなどを見ると、元老院の悪口を書いたものがたくさん残っています。一方、日本には、そうしたものは、ほとんどありません。なぜなら、日本ではお上の悪口を言ったことがわかると、罰せられたからです。

ここには、先に述べた西洋と東洋の為政者の違いも影響しています。為政者が民衆に姿を見せる西洋と、姿を見せない東洋。そうした文化的土壌の違いが、民主主義の土壌と関係していると私は考えています。

ローマでは皇帝ですら民衆にその姿をさらし、同時に民衆は皇帝の行動を注視しています。そして、民衆は皇帝の態度が気に入らないと、平気で批判します。皇帝は権力の維持に民衆の人気が必要なので、人気が落ちないように、常に民衆に姿をさらし、民衆が好むようなパフォーマンスをする必要がありました。

こうしたローマの伝統は、今でも西欧諸国で生きています。

私は海外でもよく競馬観戦に行きますが、イギリスのアスコット競馬場では、貴賓席にいるエリザベス女王（エリザベス二世／一九二六〜二〇二二）の姿を何度も見ています。

中でも「キングジョージ6世&クイーンエリザベスステークス」という大きなレースでは、エリザベス女王は必ずパドックに出てくるので、そのときには通路を通る女王の姿を誰でも、わずか一〜二メートルという至近距離で見ることができるのです。これは、日本では、まず考えられないほどの近さです。

日本でも天皇陛下が競馬場においでになることはありますが、その姿が見られるのは、遠くの貴賓席がモニターに映し出されたときぐらいなのですから、本当に西洋との文化的な違いを感じます。こうしたところに、共和思想の根底にある民主思想が根づくか根づかないかという違いの根幹に関わるものがあるのではないかと思います。

日本では、かつては相手が貴人であっても、天下人は滅多に姿を見せませんでした。基本的に天下人は御簾の向こう側にいて、直《じか》には姿が見られないようになっていたのです。そうすることで神聖性を持たせ、そんな天下人を頂点とするお上がやることに下々《しもじも》が口を出してはいけないという意識を形づくってきたのです。

一方、西洋では身分に格差はあるのですが、お上は身近な存在でした。そして、身近であるが故に、自分たちも彼らの行動に口を出していいという意識が生まれました。前述した古代ローマのフロルスという詩人が、五賢帝の一人であるハドリアヌスの悪口を書いた話でもわかります。

私たちはローマ皇帝と聞くと雲の上の人だと思いがちですが、実際にはそうではありません。民衆と親しく接する皇帝は意外と多く、暴君として知られるネロは、よく民衆の前で歌を歌う人気者でした。

皇帝ですらこれほど民衆と近いのですから、ローマから属州に派遣された総督などは当然のごとく民衆に姿を見せています。

たとえば、『ベン・ハー』（一九五九年／日本では一九六〇年公開）というアメリカ映画には、ユダヤ属州総督ポンテオ・ピラトが戦車競技場で、レースの始まりの合図として群衆の前でハンカチを落とすというシーンがあります。

実際にピラトがそうしたかどうかはわかりませんが、そうしても決しておかしくないことは確かです。

属州の総督はローマ皇帝の代理であり、皇帝ですらローマで実際に同じようなことを行っていたからです。ハドリアヌス帝は属州回りをしていますが、属州でもさまざまなパフォーマンスを民衆の前で披露していたと言われています。

フランス革命のとき、王妃マリー・アントワネット（一七五五～一七九三）がバルコニーに出て、押し寄せてきた民衆にお辞儀をしたというエピソードがありますが、それも民衆の前に姿を見せることが、為政者には大事なことだということがわかっていたからだと思われます。

この後、マリー・アントワネットと夫のルイ一六世（在位一七七四～一七九二）は、その地位を追われ、断頭台で命を落とすことになりますが、彼らはその最期の姿まで民衆にさらしています。

日本でもかつては公開処刑が行われていましたが、そのほとんどは見せしめとして犯罪者の処刑を公開するものであって、為政者などトップの人間が殺される場面が一般公開されたことは滅多にありません。

西洋では民衆の前に姿を見せることが為政者の権威につながり、逆に東洋では、民衆に姿を見せないことが権威になったのです。

実際に民衆の意見が採用されるかどうかは別にして、距離感を近くすることが民衆が為政者の行う政治に口を出していいという、ある意味、民主主義的な考え方を育んだのです。

そうした民主主義的土壌は、西洋が古代ギリシア・ローマの時代から培ってきたものなのですから、明治時代になって初めて民主主義を導入した日本人がまだ理解しきれなくても、無理のないことなのかもしれません。

社会主義国が「共和国」を名乗る理由

民主主義の理想は、アテネで実現したような「直接民主政」です。しかし、現在「民主主義」を掲げる国家のほとんどは議会制民主主義、あるいは代議制と呼ばれる、選ばれた民衆の代表者に信託する形で政治が行われています。代議制は民主主義の理想型ではありませんが、国民が一定数をこえると事実上直接民主政は実行不可能なのですから、そうせざるを得ないのです。

一方、共和主義というのは、そもそも代議制を前提にしたものです。

現在は、民主主義国家のほとんどが代議制をとっているので、混同しやすくなっているのですが、単に「共和政」といった場合には、主権者が国民全員とは限りません。

実際、古代ローマや中世のヴェネツィアの場合は、権威と見識を持った貴族の中で、代表者が選ばれていました。

つまり、何らかの方法によって、主権者の中から代表を選び、その代表者によって政治が行われるのが共和政なのです。

私はこれまであえて「共和政」という言葉を使ってきましたが、それは前述したように、「共和政」と「共和制」では、その内容に違いがあると考えているからです。歴史学の世界では、近代以降は「共和制」を用い、古代史（ローマ史を含む）では「共和政」を使うのが一般的です。

その理由の一つは、古代にはまだ近代で説かれる「三権分立」など政治的な制度が確立されていないからです。また、ローマの共和政は元老院が強い力を持つ元老院支配です。ローマには市民から構成される「民会（コミティア）」もありましたが、最終的な決定権は元老院が持っていました。

共和政なのに、貴族が支配しているということに違和感をおぼえるかもしれませんが、それは、私たちが「身分制度」のない社会に生きているからです。

身分制度があっても共和政は成立しますし、社会主義国のように国民がすべて平等であっても共和政は成立するのです。

そう考えると、現在、中国や北朝鮮といった社会主義国が「共和国」を名乗っていることも、ある程度理解できるのではないでしょうか。

中国の正式名称は「中華人民共和国」、北朝鮮の正式国名は「朝鮮民主主義人民共和国」です。

社会主義国家が「共和国」や「民主主義」を名乗ることにわれわれは違和感をおぼえますが、実は社会主義国家とは、民による共和政をある意味徹底しているとも言えるのです。なぜなら、社会主義国の大前提は、公民はすべて平等だということだからです。

しかし、これもまた理想であって現実ではありません。「平等」を理念としている社会主義国家で、真の平等を実現できた国はありません。

そして、その結果、「ソビエト社会主義共和国連邦」も東欧の社会主義国もみな崩壊してしまいました。

そして、「共和国」を掲げる中国も北朝鮮も、現実には共和とは名ばかりの一党独裁の国家です。

中国は今も国体《こくたい》を保っていますが、官僚が大きな力を持ち事実上の特権階級になっている、平等とはほど遠い社会です。

ある人が、「社会主義は寒いところでやると失敗する」と言っていましたが、確かに社会主義国の中でもキューバのように暖かいところでは、大成功とは言えませんが、比較的上手くいっている国もあります。最近、歴史の世界でも地政学の視点が注目されてきていますが、社会主義の成否に気候が関係しているというのは、興味深い指摘だと思います。

今の中国は、一部自由主義経済を取り入れたことで、社会主義国家としては、非常にアンバランスな感じがしています。

中国は現在、経済大国を標榜していますが、これまで中国の経済を牽引してきたのは、労働力の安さです。人件費が安かったから、海外資本が集まり、世界の工場としての役割を果たしたと言えます。

しかし、経済がよくなったことで人件費が高くなった今、海外資本は、タイやベトナムなどほかのアジアの国々、そしてアフリカの国々に移っていっています。事実、日本の企業も中国からの撤退が始まっています。

かつてイギリスが世界の工場として成功を収めたのは、そこでつくられたもの、つまり「イギリス製品」が、ある種のブランドになったからです。でも、中国の場合は、単に安い労働力としての需要があっただけなので、「中国製品

(Made in China)」にブランド力はほとんどありません。

私は、今の中国を見ていると、一つの大国というよりも、国内が本国と植民地によって構成されているように思えてなりません。つまり、北京や上海といった大都市が本国で、農村やそれ以外の都市が植民地に見えるということです。

実際、中国人は同じ国民でありながら、都市と農村とで戸籍が区別されています。農村戸籍を持つ人は、都市に移住することが基本的に禁止されているのです。つまり、表向きは社会主義を掲げ「平等」を謳っているのに、実際には厳然とした格差があり、一部の都市が農村から搾取しているのです。

これまでは、こうしたいろいろな矛盾を含むシステムでも機能してきたかもしれませんが、それもそう長くは続かないでしょう。事実、都市（本国）との不平等に気づきはじめた農村（植民地）の人たちによって、さまざまな運動が起こりつつあります。

この問題をどのように解決するかということが、中国のこれからの大きな課題の一つになっていくことでしょう。

第7章

すべての歴史は「現代史」である

「今」を知るために歴史を学ぶ

人に読まれない「歴史」は何の意味もない

歴史とは何か。

この問いにイギリスの歴史家E・H・カー（Edward Hallett Carr／一八九二～一九八二）は、著書『歴史とは何か』（清水幾太郎訳・岩波新書・原題：『What is History?』）の中で、次のように答えています。

歴史とは歴史家と事実との間の相互作用の不断の過程であり、現在と過去との間の尽きることを知らぬ対話なのであります。

歴史が「対話」である以上、そこにはある程度の共通言語が必要です。

しかし、実際にコミュニケーションを取るためには、現在と過去の間にある大きな溝を克服しなければなりません。その溝とは「常識の違い」です。

第5章で、古代の人々は実際に神々の声を聞いて行動していた、という話をしましたが、古代の人々にとって神々の声が聞こえるのは当たり前のことでも、現代人であるわれわれが、そのことを常識として実感するのは、容易なことではありません。

常識が違えば、当然のこととして行動に結びつく判断基準も違ってきます。われわれ歴史学者は、過去の人々の感性を理解しようとするため、その時代固有の感性なり、意識なりというものにできる限り還元していく努力をします。

こうしたスタンスは学者としては間違っていないと思いますが、論文ならいざ知らず、そうしたスタンスのまま一般書を書いてしまうと、読んでもらえないものになってしまうという問題があります。

専門家の書く歴史書が面白くないのは、このためです。

序章でトルストイが歴史家を痛烈に批判し、「歴史書とは、このように書くのだ」というお手本として『戦争と平和』を書いたのではないかという話をしましたが、確かに学者の書くものに比べると、作家の書く歴史書は非常に読みやすく、理解もしやすいものになっています。

でも、ここで知っておいていただきたいのは、作家の書くものが読みやすく理解しやすいのは、それが現代人の感性に近づけてあるからだということです。ローマ史にかぎりませんが、前近代を背景とする作家の物語を読むと、たとえば「占い」や「前兆」に人々が左右されている場面があったりします。

そのとき、「占い」や「前兆」はあっさり触れただけで済まされており、古代人や中世人がどういう意識を持っていたかという点については、ほとんど語られていません。そのため今の感覚で読むと、前近代の人々が迷信に左右される未開な人々であったかのような印象しか残りません。

でも、古い時代を扱う歴史研究者は、そこに生きていた人々にとって「占い」や「前兆」は彼らの活動に大きな影響をおよぼすほど迫真の力があったことに着目します。

前四四年三月十五日のことですが、カエサルは占い師から、この日までは気をつけてくださいと注意されていました。カエサルは家を出るとき、その占い師に「この占い詐欺師《さぎ》め、三月十五日が来たが、何も起こらなかったじゃないか」と言ってからかったそうです。でも占い師は「カエサル様、三月十五日は、まだ過ぎ去っておりません」と言い返したのです。やがて元老院の議場に着いたとき、カエサルは暗殺されたのです。

ここには、カエサルと占い師のやりとりはもちろんのこと、これを書き記したローマ人の歴史家スエトニウスの感性や思考も反映しています。スエトニウスにかぎらずキケロやプリニウスのような知識人もこのような「占い」や「前兆」を気にするところがあったのです。

私のような立場にあると、そこまで言及しないと本当のローマ人の気持ちは理解できないのではないか、と思ってしまうのです。しかし、そんなところまでくどくど細かく述べてしまったら、読者の方がついてこられなくなってしまうのも事実です。

では、どうするのがいいのか。

戦後日本の西洋経済史の大家《たいか》である大塚久雄《おおつかひさお》氏（一九〇七～一九九六）は、「正確に書くのとわかりやすく書くのと、どちらが大切か」と聞かれたとき、「わかりやすく書きなさい」と、はっきり答えています。

どれほど正確なものであったとしても、それが人々に読んだり聞いたりしてもらえなければ何の意味もないからです。

そこで私が考えた解決策が、最初から「すべての歴史は『現代史』である」というスタンスに立つという方法です。

歴史は過去の出来事について述べるわけですが、そこには常に「今」というフィルターがかかっています。「今」という時をことさら意識して表現することに努めるのです。

実際、歴史の解釈には、多かれ少なかれその時代の価値観や常識、国際情勢といったものが影響しています。作家の書いたものはもちろん、学者がどんなに当時の人の思いに近づいたとしても、一〇〇％同じ思いになることはできません。言うなれば、それはあくまでも現代人が当時を最大限類推したものにすぎないのです。

だからこそ、「すべての歴史は『現代史』である」と思うことで、歴史を楽しみつつ、より真実に近い歴史解釈を探究できるようになるのだと思います。

歴史に学ぶと未来が見えてくる

「すべての歴史は『現代史』である」というスタンスに立つことで、もう一つ見えてくるものがあります。それは「今」です。

実は「今」起きていることを正しく知るためには、歴史を知ることが必要なのです。

ですから、将来我が国を担うエリートの人々には是非とも歴史を学んでいただきたいのですが、最近のエリートを目指す若者たちを見ていると、残念ながら歴史は軽視される傾向が見られます。

なぜ歴史は敬遠されてしまうのでしょうか。

その理由の一つに、歴史について語るためには、多くの知識が必要とされることが挙げられるのではないかと思っています。

たとえば、哲学や宗教は歴史に比べて、長大な過去の知識を必要としません。もちろん、哲学や宗教にも多くの知識は必要です。一神教と多神教の区別すらつかないようでは宗教について何も語れません。でも、そこで求められる知識の量は、歴史とは比べものになりません。

歴史の世界では、知識の量がそのまま話の深みに正比例すると言っても過言ではありません。たとえば、今の中国共産党政府の政策について語るとき、二十世紀の歴史しか知らずに話すのと、中国の長い歴史を知った上で語るのとでは、やはり話の深みが違います。

中国という国は、常に権力者が絶対的な力を持ってきた国です。現在の刑法も、そうした歴代の権力者が民衆を従わせるために行ってきた処刑や処罰の延長線上にあるものです。ですから、そうした歴史の積み重ねを知ることが、実は今を正しく理解することにつながっているのです。

これまで日本人が学校で習う歴史が面白くなかったのは、歴史に関する知識が受験を目的としたものに特化されてしまっていたからです。

歴史の教科書も授業も、常に古代から現代に向かう一方通行で、今はこうだが、過去はどうだったのかとか、今こうなったきっかけはどこにあったのか、というように、現在から古代に向かっていく思考や因果関係の追究はまったくといっていいほどありません。

その結果、古代史は古代史だけ、中世史は中世史だけで考えることになるので、知識をただ丸暗記する面白くない学問になってしまっていたのです。

でも、実際の歴史は途切れることなく今につながっています。

今起きている問題の背後には、必ずそれに関係する歴史が存在しています。もっと言えば、たとえば「ローマの歴史の中には、人類の経験のすべてが詰まっている」という言葉に象徴されるように、今直面している問題のほとんどは、すでに過去に人類が経験しているので、歴史に学ぶことで今後の展開を予測し、問題を解決する道を見いだすことができるのです。

現在のヨーロッパの難民問題も、かつてゲルマン民族がローマに流入してきたときにどのようなことが起きたのかを見ていけば、これからドイツで起きるであろうことが見えてきます。

かつてローマ帝国では、ゲルマン民族が入ってきたとき、土地を持たない彼らは軍隊に入り、やがて軍隊の上役になっていきました。すると、ローマ人の中にそれを認める人と、反発を持つ人の両方が現れ、国内が乱れていきました。

恐らくこれからのドイツでも、同じような問題が起きてくることでしょう。かつてヨーロッパに入ってきたのは、今のドイツ人の祖先です。そのゲルマン民族の末裔であるドイツ人が、今度は異民族の流入に苦しむことになるのですから、まさに歴史は繰り返されているのです。

中国が推し進める中華民族という虚像

今の中国の状況も、歴史を踏まえて再認識すると、あの国が抱える問題の本質が見えてきます。

日本とイギリスが似ているというのは昔からよく言われていることですが、フランスの歴史学者エマニュエル・トッド（一九五一〜）は、ドイツと中国の類似を指摘しています。ドイツがEUの中で主導権を握り、絶大な権力を振るおうとしているのに対し、中国はユーラシアの東側で、ドイツに匹敵するような権力の行使を見せ始めているというのです。

中国は、二〇一四年にアジアのインフラ整備を目的としたアジアインフラ投資銀行（Asian Infrastructure Investment Bank／AIIB）を創設しています。日本とアメリカは参加しなかったものの、イギリス、フランス、ドイツ、イタリアなどヨーロッパ諸国は参加を表明しています。中でもドイツは最も中国に肩入れしています。ドイツ人は勤勉で、日本人と似たところもあると言われていますが、地政学的に言うと、日本はイギリスに、中国はドイツに匹敵すると考えると非常にわかりやすいのではないかと思います。

中国という国は、実は日本のように一つにまとまった国ではないのです。そのことは言語を見れば明らかです。多くの日本人は、中国は「中国語」という一つの言語が使われていると漠然と思っていますが、実際には「中国語」という共通言語はないのです。

ごく簡単に言えば、中国語にはいくつもの方言があり、それらは発音や語彙《ごい》が異なるだけでなく、文法にまで違いがあるため中国人同士でも通じないことがあると言います。

これは二十数年前の話ですが、上海出身の学生が香港の映画を観たとき、何を言っているのかまったく理解できないと言っていました。私が「じゃあ、どうやって理解しているの？」と聞くと、その子は日本語ができたので、日本語の字幕を読んでいると言うのです。上海と香港では、それほどまでに言葉が違うということです。

同じ国なのにそれではあまりにも不便だろうと思いますが、面白いことに発音は大きく違っても漢字を使った文章にすると、解読は比較的容易なので通じるのだそうです。

つまり、話し言葉は方言がたくさんあって通じにくいけれど、文字が共通語のような働きをすることで意思の疎通が保たれているということなのです。

こうした状況は、実はヨーロッパの歴史と似ています。

たとえば、現在のヨーロッパにあたる地域の人々は、もとはローマ支配のもとラテン語を使っていました。そのため、ラテン語の流れを汲むスペイン語とイタリア語などはかなり似ているので、互いに母国語で話をしても相手の言っていることがだいたいわかると言います。中国語の場合も、ヒアリングではわからなくても、文字にすればだいたいわかります。

もっとも近年は、国民の意思疎通を容易にするためといって、中央政府指導の下、首都北京を含む北方の方言「北方語（官話《かんわ》とも）」をもとにつくられた「普通話」と呼ばれる言葉を教育や放送で用いることで、標準語・共通語として普及させる政策が進められています。その結果、近年は、普通話で教育を受けた若者は、地元の方言と普通話のバイリンガルとなっているそうです。

こうした言語の問題が象徴しているのは、中国人というのは、漢民族だと思われがちですが、純粋な漢民族はごく一部で、実際には数多くの民族の集合体だということです。

かつて漢帝国を主導したのが漢民族であり、その言葉である漢語が用いた文字が漢字だったことで、中国は漢字・漢民族と言われていますが、歴代の統一王朝を見ても、純粋な意味で漢民族が主導した王朝は「前漢・後漢」ぐらいで、その後は異民族による征服王朝や、漢民族を名乗る混血王朝というのが実態です。

蒙古《もうこ》民族の元王朝や女真《じょしん》族の清王朝は異民族の王朝として有名ですが、五胡《ごこ》十六国《じゅうろっこく》の多くと遼《りょう》や金《きん》も異民族による王朝です。

漢民族の王朝と思われている唐も、実際にはソグド人（イラン系灌漑農耕民族）など西域から入ってきた異民族が支配層に多く入り込んでいたことが最近の研究で明らかになってきています。その実態は、もはや「漢民族の王朝」とは言いがたいものだったのです。

実際、遣唐使によって日本に持ち込まれ、日本の宮廷貴族の間で流行った蹴鞠《けまり》のルーツは、西域の騎馬遊牧民の遊びだったと言われています。

先ほど中国の歴史はヨーロッパのそれと似ていると言いました。ヨーロッパは現在EUという大きな共同圏を構築してはいますが、国はそれぞれ分かれています。というのも、ヨーロッパの国々というのは、実は国によってかなり国民性に違いがあるのです。

ヨーロッパのルーツは都市国家です。

私たちは「古代ギリシア」と一括りにして考えていますが、実際には、独立したポリスの集合体であって、「ギリシア」という統一国家だったわけではありません。

その後ヨーロッパはローマ帝国のもとに集約されますが、ローマ帝国の崩壊後は、再びヨーロッパは自立した覇権が多くなります。

これは特にドイツで顕著だったのですが、ドイツはかつて三〇〇ほどの領邦国家に分かれていました。それが十九世紀、プロイセンが中心になって統一されたのです。それでもやはり自治の伝統は根強く、ドイツではいまだに都市などの地域単位で物事を決めるという伝統が生きています。

こうした傾向は、イタリアでもわりと強く、フランスは比較的弱いと言えます。そういう意味で、ヨーロッパの中でもフランスは中央集権的だと言われています。

これには、ローマ帝国に統合された後、ゲルマン民族の大移動によってほかからも異民族が入り込み、それとともに異民族の文化や伝統も入り込み、各地に根づいたことが関係しています。

そのため、イギリス人、フランス人、ドイツ人がいたとき、「あなたたちはヨーロッパ人ですね」と一括りにしたら、彼らは不快感を示します。中には「自分はあくまでもドイツ人だ」と怒る人もいるかもしれません。

しかし中国は、実際にはヨーロッパと同じように、いろいろな言語を持ついろいろな民族の集合体でありながら、無理矢理「民族」という形で一つに括ろうとしています。

それが「われわれは中華民族である」という主張です。

中国では、「中華人民共和国内に居住し、中国籍を有する者」を中華民族と規定していますが、この主張には無理があると思います。

中国共産党の支配の中でいくら「われわれは中華民族だ」と言って統一感をアピールしても、実際には漢民族、ウイグル族、チベット族、モンゴル族などさまざまな民族がいるからです。

つまり、「中国人＝中華民族」とするというのは、たとえるなら、イタリア人もフランス人もドイツ人もすべてまとめて「ヨーロッパ民族」と言うようなものなのです。

このような無理は、本来なら通用しないのですが、中国は力でこの無理を通そうとしています。

そして、そのために利用されているのが、実は「反日」なのです。

ヨーロッパではナチスドイツの悲劇を乗りこえて、EUとして歴史の共通認識を構築することにある程度成功しています。それに倣《なら》って日本でもアジア共通の歴史教科書をつくろうという動きがありますが、実現は非常に難しい状況です。

私の知人の研究者が言っていましたが、日本側は韓国の慰安婦問題にしても、中国の南京虐殺問題にしても、お互いに史料を集めて詰めていこうと提案するのですが、韓国も中国もそうしたやり方では成り立たないと言うのだそうです。なぜなら、韓国の研究者は「真実を決めるのは世論であって、われわれが決められることじゃない」と思っていて、中国の研究者は「史実とか事実は、中国共産党が決めることであって、われわれが決めることじゃない」と意識しているからです。

つまり、いまだに日中や日韓の歴史問題が解決しないのはなぜなのかというと、そこにはこうしたそれぞれの思惑があるからなのです。

そして、為政者の思惑というのが、国民の目を「外」に向けることで、放っておいたら瓦解《がかい》してしまう「内」をまとめることになってしまうのです。

なぜ中国では民主主義が根づかないのか

地政学的には似ている中国とドイツですが、その国政は大きく違います。ドイツは地方自治が発達した民主主義国家ですが、中国は中国共産党一党による中央集権国家です。

ヨーロッパには古くから民主主義的土壌というものがありました。そのため、いくら上から強圧的にまとめようとしても、民衆は言うことを聞きませんでした。だからこそ、今でもEU離脱問題が起こってくるのです。

さらにヨーロッパには「ローマ法」の伝統もあります。初期のローマ法は国家中心的なものですが、国家が大きくなっていくに従い、人々の争いごとを解決するための手段として民法が発達したため、民主主義的な法手続きというものが根づきました。

しかし中国の場合は、常に王朝が絶大な権力を持っていたため、法もあったのですが、基本的にその中心は刑法でした。つまり中国では、法は悪い者を処罰するためのものとして発展したのです。

この際立《きわだ》った違いは、いまだに受け継がれています。そのため中国では、政権をとった者が民衆を力で抑えつけ、言うことを聞かなければ罰する、という何千年来のやり方が、いまだに続いているのです。

事実、今も中国の支配の要《かなめ》は軍事力です。そんな中国で民主主義を根づかせるのは、ものすごく大変なことです。

ローマもスタートは軍事力による支配でしたが、その後は刑法よりも民法で人々を治めていくようになりました。

この違いがどこからきているのかという問いは、非常に難しいものですが、私は東西の「権威」のつくり方の違いが関係しているのではないかと思っています。

本書では何度も触れましたが、西洋では、為政者が民衆に姿を見せて、さまざまなパフォーマンスをすることで自分がいかに為政者として素晴らしい人物なのかをアピールしました。その結果、民衆が喜ぶことをした人や、民衆からの評価が高い人が権威者になっていきました。

それに対し東洋では、為政者は姿を民衆に見せないことで人々に畏怖の念を植えつけ、権威を構築しました。この畏怖というある種の恐怖感が権威と結びついたことが、東洋で刑法が発達していったことと密接に関わっていたのではないか、と思うのです。

西洋で為政者が民衆に姿を見せるようになった背景には、早い時期に「王」が海の民によって王宮ごと滅ぼされ、残った「ダーモ（村・村人）」とそこにいた「クァシレウ」という豪族によって新たに都市国家が築かれたという歴史があります。

古典ギリシア期になると、クァシレウが王を意味する「バシレウス」に、ダーモがポリスを構成する組織「デーモス」となるのです。そして、このデーモスが後の「デモクラシー」の語源となるのですから、民主主義の萌芽《ほうが》がここにあったことは間違いありません。

バシレウスとデーモスの関係は、オリエントに見られるような、ファラオと民衆の関係とは違い、非常に馴染み深いものでした。それは両者が、もともと豪族と村人という近い関係から発していたからです。

これに対し東洋では、海の民のようなものに王や王宮が破壊されることはありませんでした。そのため絶対的な君主と、それに服従する民衆という関係が長く維持されることになったのです。

世界初！ 国内植民地政策

一九七〇年代終盤、中国政府は「改革開放」を掲げて市場経済へ舵《かじ》を切りました。その後、一九九〇年代初頭に再び改革開放が推し進められたことで、中国経済は急激に成長していきました。

当時の中国は、レアアースなどの資源は保有していましたが、オリジナルな技術はほとんどありませんでした。

そうした中国が急速な経済発展を遂げることができたのは、「安い労働力」を武器に世界中の企業の工場誘致に成功したからです。

この安い労働力の担い手は、主に農民の子弟や地方の貧しい人たちでした。

彼らのお陰で経済発展を遂げた今、一四億いると言われている「中国人」の中で、どれだけの人が豊かになったのかというと、せいぜい二億人ほどではないでしょうか。しかも、富裕層のほとんどは北京や上海といった都市部の人々で、中国の経済発展を支えた「安い労働力」の源である農村部の人々は、依然として貧しい生活を強《し》いられているのです。

こうした都市と農村の貧富の差は、中国が豊かになればなるほど広がっています。実際、中国のＧＤＰ（国内総生産）は、二〇一〇年に日本を抜き、現在ではアメリカに近づいていると豪語していますが、一人当たりの名目ＧＤＰでは、日本が三二位であるのに対し、中国は七〇位（香港を除く）と、まだまだ低迷しています（二〇二二年）。

なぜこれほどまでに貧富の差が広がっているのかというと、「中国に居住する者はすべて中華民族」という建前の陰で、国内植民地政策としか言いようのない政策が行われているからです。

植民地というと、一般的には国外の属州や支配地を思い浮かべますが、中国では農村が実質的には都市の植民地のような形になっているのです。

そして、これが政策であることは、都市と農村で戸籍が区別されていることからも明らかです。

国内に植民地を持つなどということは、いまだかつて行われたことがない政策です。はたしてこの政策が上手くいくのか、これは世界史における一つの大きな実験と言えると思います。

しかし、これまでの歴史を見る限り、十六世紀以降、世界各地に生まれた植民地は、第二次世界大戦後、次々と民族自立を掲げ独立していきました。中国は本来、平等を国是《こくぜ》とする共産主義国家でありながら、国内に植民地を持つという矛盾を抱えている以上、この実験が成功する確率は低いと思われます。

実際、中国ではウイグル自治区など、中華民族として括られていないところは、常に中国から離れようとしています。こうした動きが、いずれは中華民族として括られた人々の中からも起こってくるのではないでしょうか。

中国の実態は、一つの大きな国というよりも、ＥＵのような異なる民族の集合体であり、その中の一部が主導権を握って支配していると考えたほうが、実状に近いと言えます。その中で行われている「国内植民地政策」が、これまで中国経済の発展に寄与してきたことは事実ですが、今後は中国が抱える最大の問題となっていくような気がしています。

中世はなぜ暗黒時代と言われたのか

歴史の評価は、時代によって大きく変化します。

これもまた、「すべての歴史は『現代史』である」という言葉の一側面と言えます。

かつて中世ヨーロッパは、「世界史の暗黒時代」と言われていました。世界史は古代エジプト文明やギリシア文明、そしてローマ帝国と華々しく始ります。しかし、古代が終わると、その後ルネサンス、大航海時代（大交易時代）というきらびやかな時代になるまでの約一千年近く、中世という「暗い」時代が続きます。

「中世＝暗黒時代」というのは、そんなイメージです。

しかし最近は、中世を暗黒時代と捉える研究者はほとんどいません。世界史における中世のイメージが変わったのは、一つにはこの時代の研究が進んだからです。

もう一つは、これは日本における世界史の見方の問題なのですが、日本は第二次世界大戦に敗北したことで、戦後の民主主義礼賛《らいさん》とでも言うような時代の空気が、封建社会だった中世を殊更《ことさら》に低く評価した、という一面があったように思います。

日本の世界史研究は明治維新とともに始まりますが、明治の近代化というのは市民社会も民主主義も踏まえないものだったため、少しいびつな方向に進んでしまったのかもしれません。

大正デモクラシーなど民主主義の芽生えのようなものもあったのですが、結局、日本はそちらの方向には進まず、軍国主義へと向かってしまいました。

そのとき、欧米列強によって植民地支配されているアジアを救済・解放するという美名のもと、日本は自らが掲げる大東亜共栄圏の盟主として君臨する道を目指しました。

それが敗戦という形で払拭《ふっしょく》され、戦後が始まった途端、日本は一転、民主主義を根づかせることに邁進《まいしん》したのです。

民主主義の土壌がなかった日本に、いかにして民主主義を根づかせるかという模索は、戦後二十年ほどは続いたと思います。そうした中で、歴史の世界でも大きな価値観の変化があったのです。

その結果、古代史ではギリシアの民主政が大きく取り上げられ、近代ではイギリスの産業革命とともに、どのような形で民主主義が生まれ、根づいていったかを、ピューリタン革命やフランス革命を教材に学んでいくという形式ができたのです。

そしてこのとき、不要と判断されて形式からはじき出されてしまったのが中世だったのです。

中世は封建社会です。日本も封建社会は経験しています。しかも、当時はどうやってそれまでの封建的な価値観を払拭しようかと模索している最中だったのですから、なにもわざわざ世界史の中でヨーロッパの封建時代を取り上げる必要はないだろう、ということになったのです。

もちろん、ヨーロッパは封建時代を経て近代民主主義を確立させていったので、中世封建社会を知り、それがどのようにして近代に変わっていったのかという過程を見ることも歴史の重要なテーマの一つであることは間違いないのですが、民主主義を一刻も早く根づかせようとしている中では、こうした問い掛けよりも民主主義そのものにスポットライトを当てるような教育が選ばれたのです。

少々強引なやり方ではありましたが、戦後日本がいち早く民主化に向かったのは、こうした歴史教育が大きく寄与していたのです。アジアの多くの国が、いまだに民主化に今ひとつ成功できていないのは、こうした思い切った歴史教育をしていないことも一因なのです。

世界史における二つの「暗黒時代」

日本人は「暗黒時代」と聞くと、すぐに中世をイメージしますが、実は世界史にはもう一つ「暗黒時代」と呼ばれる時代があります。

それは前一〇〇〇年の前後三百～四百年間の古代ギリシア世界です。

この時代が暗黒時代と言われているのは、一つには非常に史料が少ないことがあります。そしてもう一つは、当時のギリシアには大きな権力が存在せず、小さな権力が乱立するという混沌《こんとん》とした時代だったからです。

小さな権力が乱立していたという意味では、中世も古代の暗黒時代と似ています。中世ヨーロッパは、神聖ローマ帝国があったと言えばあったのですが、そこにはもうかつてのローマ帝国のような力はなく、乱立した封建諸侯がそれぞれ狭い範囲で実権を握っていたのです。

こうした小さな権力が乱立した状態は、非常にわかりにくいということもあって、「暗黒時代」という言葉につながっているのかもしれません。

ただ面白いのは、古代の暗黒時代は同時に「英雄時代」とも言われるのですが、同じように小権力が乱立していたにもかかわらず、中世の暗黒時代はそうした別名で呼ばれることはありません。

これには、暗黒時代と呼ばれた中世の「環境」が大きく関わっていると思われます。

中世の中でも暗黒時代と言われるのは、西ローマ帝国の滅亡から十世紀までの中世前期の時代です。

第4章の民族移動のところでも触れましたが、四～五世紀は世界規模で寒冷化が起きた時代です。この寒冷化が民族の大移動の引き金になったわけですが、この寒冷化自体は、その後五百～六百年間も続いたようなのです。

気温の低下は、ほんの二～三度でも農作物に深刻な影響を及ぼします。ましてや当時は、ハウス栽培などない時代ですから、その影響は非常に大きく、飢餓による人口の減少が各地で起きています。

生産量を測るのによく用いられるのが、一粒の麦から何粒の麦が収穫できたか、というものですが、当時の記録によると、最も収穫が少なかったときには、一粒からわずか五粒しか収穫できなかったとあります。

古代シュメール文明では一粒の麦から七〇粒収穫できたと言いますから、いかにこの中世前期の農業生産率が低かったかがわかります。

また、これはローマ帝国の末期から始まっているのですが、内陸が開発されたことによって海を活用することが少なくなっていました。内陸での生活は、その場所だけで生活物資が調達できれば問題ないのですが、遠くから物資を持ってくることが必要になると非常に大きなコストがかかってしまいます。

ある試算によると、物資を船を使って海路で運ぶのと、陸路で運ぶのとでは、陸路のほうが二五倍ものコストがかかると言われているほどです。

こうして陸路の運搬がコスト的に採算がとれなくなると、人々は自分たちの居住するローカルエリアだけで物資を賄《まかな》うようになり、遠隔地との交易がさらに減少していきます。

こうした状況がひと世代程度ならまだしも、何世代にもわたって続いてしまうと、それまで当たり前にあった技術、たとえば船をつくったり、操ったりする技術も失われてしまいます。

寒冷化による作物の減少、それに伴う人口減少。その少なくなった人々がローカルな地域社会に籠《こ》もることで技術や商業ルートが失われる。中世の暗黒時代には、こうした負のスパイラルが続いていたのです。

ヨーロッパがこの長い負のスパイラルからようやく抜け出すことができたのが、紀元一〇〇〇年頃の、いわゆる「大開墾時代」です。

負のスパイラルを抜け出すことができた最大の要因は、やはり気温の上昇です。それに加え、三圃制《さんぽ》(three field system)など、新しい農耕システムの導入によって、収穫率の向上に拍車がかかりました。

三圃制というのは、農地を「冬穀用耕地」「夏穀用耕地」「休耕地」の三つに分け、それぞれローテーションを組んで使っていくことで、土地の状態を良好に保ち、収穫率を上げるシステムです。休耕地もただ休ませるのではなく、家畜の放牧に使うことで糞などの排泄物が農地を回復させる肥料となりました。

さらに、この頃には鋤《すき》や開墾のときに牛馬につける軛《くびき》など農具の改良もなされています。気温の上昇に加え、こうしたさまざまな改良が行われたことで、農業生産力は急速に回復していきました。

ルネサンスというと、文化的には十二世紀以降ですが、その時期に文化の花が咲くためには、その前に、農業の回復がなければなりません。

気候変動の影響を受けて、中世の初期に人口減少や文化の低迷が起きたことは事実です。そういう意味では、中世の最初の五百年間は、もしかしたら「暗黒時代」と言ってもいい時代だったのかもしれません。

しかし、十一世紀になると、気温も上昇し、農業生産力も急速に回復していき、十二世紀になると、豊かな社会情勢を背景にルネサンス文化と呼ばれる芸術の振興が見られるのですから、「中世＝暗黒時代」と考えるのは、やはり間違いだと思います。

中世という時代は、同じ色で描くのではなく、暗い前期と明るい後期に分けて考えたほうが真実に近く、理解もしやすいと思います。

すでに第三次世界大戦は始まっている

歴史に学ぶということは、過去を知り、その知識を今に活かすということですが、そのためには「今」起きていることと過去の歴史との類似に気づくことが必要です。

しかし、それは簡単なことではありません。

なぜなら、過去を振り返るとき、「今」というフィルターがかかってしまうように、未来を考えるときも「今」の立場からしか見ることができないからです。

シリア騒乱が発生した二〇一一年、実は私はシリア渡航を計画していました。

政府軍と反政府軍の間に最初の武力衝突が起きたのは二〇一一年の一月。それでも四月ぐらいまでは、私が知っているイスラム研究者たちはみな、「あそこはアサドがいるから、滅多なことじゃ分裂しないよ」と言って、ある意味安心していたのです。

ところが、それからわずか一カ月ほどで、状況はガラッと変わり、とてもシリアへ入国できる状態ではなくなってしまいました。

このシリアの急激な変化を、残念ながら、このときの私たちは予測できませんでした。そして、このシリアの混乱に乗じて台頭してきたのがＩＳでした。

その後、ＩＳが急成長を遂げていくのを見て、私は一代で帝国をつくり上げたチンギス・ハンのことを思い出しました。

歴史には、権力志向が強く、人々をまとめ上げていく力を持った人間というのがときどき登場します。一代でモンゴル帝国の基礎を築いたチンギス・ハンは、まさにそうした人間の典型と言える人物です。

非常に力のあるカリスマティックな人間が一人出てくると、多くの人々が吸い寄せられるようにその周りに集まります。すると、今度はその渦に巻き込まれまいと抗《あらが》う周囲の人々との間に争いが生じます。

つまり、今ＩＳが巻き起こしている嵐は、ある意味かつてモンゴルの遊牧民たちがチンギス・ハンというカリスマを得て起こした嵐と似ているのです。ＩＳにはチンギス・ハンのようなカリスマリーダーがいるかどうかは別として、新しい国家ができるときには、かなりの集結力が働くのは当然のことです。それがテロ国家であるかどうかは、また別の議論になりますが。

この嵐がこれからどのような方向に進んでいくのか、それを考えるためには、今起きていることを正確に見極めることが必要です。

今、世界で何が起きているのか？

これは非常にショッキングな表現ですが、私はすでに第三次世界大戦は始まっていると見ています。

これまで「第三次世界大戦」というと、核兵器を保有する国同士が周囲の国々を巻き込みながら敵対し、互いに原爆や水爆を打ち合うような戦争がイメージされていました。

これは、一九六二年に起きたキューバ危機が影響しています。

しかし、キューバ危機から半世紀以上経った今、そんなことをしてしまったら人類が滅亡しかねないことを多くの人が知っています。

そのため、人々が自覚しないうちに世界における「戦争の形」が変わってきているのではないかと思うのです。世界各地で多くの犠牲者を出しているゲリラ戦やテロ、これこそが、第三次世界大戦の形のような気がします。

今やテロはどこでも起こりうる状況です。もし本当にこれが新しい戦争の形だとしたら、簡単には決着がつかないので、第三次世界大戦は、百年戦争（一三三七年から一四五三年まで続いた、フランス王位継承をめぐるフランスとイギリスの戦争）のような形で今後も長く続いてしまうことが危惧されます。

今はＩＳが諸悪の根源のように言われていますが、ＩＳにこれだけの人が集まっているということは、現状に不満や反感を抱いている人たちがそれだけたくさんいるということです。ということは、たとえＩＳを力で壊滅させたとしても、彼らの不満や反感を解決できない限り、新たな指導者を得れば、また新たな組織が同じようなことを起こすことになると考えられます。

国と国が宣戦布告して、兵隊同士が戦うというのが、これまでの戦争のセオリーでした。しかし、一九九一年に起きた湾岸戦争のとき、人々はピンポイント爆撃の様子を映したテレビの映像を見て、戦争の形が変わったことを実感しました。現実の戦争にルールはありません。戦争は、常にやったもの勝ちの世界なのです。

世界中で起きている終わりの見えないゲリラ戦とテロ――私たちは今、それを「内戦」とか「テロ」といった言葉で表現していますが、実際にはもう「世界大戦」と言っても過言ではない深刻な状況になっていると私は思っています。

戦争が、兵士が兵器を使って戦場で戦うという時代は、もうすでに終わっているのかもしれないのです。

イギリスのEU離脱の背景にあるのはドイツへの不信感

二〇一六年六月二十三日、国民投票の結果、イギリスのEU離脱が決定しました。残留を訴えていたキャメロン首相は辞任し、その後、二〇二〇年一月三十一日にジョンソン首相のもと離脱しました。

イギリスの人々が離脱を選んだ背景にあるのは、EUに支払う巨額の負担金に対する反感ですが、それはEUを主導するドイツに対する反感が入り混じった複雑な国民感情の現れでもありました。

イギリス人は基本的にドイツを嫌っているところがあるのですが、それは第二次世界大戦の恨みがまだ尾を引いているからです。

第一次世界大戦後、被害が甚大だったヨーロッパでは反戦意識が非常に高まっていました。多くの国が、反戦意識から軍備を縮小しようとする中、巨額の賠償金にあえいでいた敗戦国ドイツは、経済復興を掲げるヒトラーを指導者に選びます。ヒトラーは今でこそ悪魔のような独裁者と評されていますが、当時は不況に苦しむ戦後のドイツを経済政策で見事に立ち直らせたことで、ドイツ国民からは救世主として絶大な支持を得ていました。

国民の支持を得たヒトラーが、ヴェルサイユ条約の軍備制限条項を破棄して再軍備をし始めたとき、いち早く彼の真意に気づき警鐘を鳴らしたのが、まだ首相に就任する前のウィンストン・チャーチル（一八七四～一九六五）でした。

「このままドイツの再軍備を許したら、ヨーロッパはドイツによって再び蹂躙《じゅうりん》されてしまうだろう。ドイツの台頭を抑制するためにもイギリスは軍備を増強するべきだ」

しかし、反戦思想が高まっていたイギリスの人々は、チャーチルの警鐘に耳を傾けませんでした。

その後の歴史を知っているわれわれからすると信じがたいことですが、ヒトラーが非武装地帯と決

■チャーチル

イギリスの首相。第二次世界大戦を指導し、大戦後も首相を務める。

められていたラインラントに軍を進駐させたときも、戦争をしたくなかった英仏は融和政策を選び、事実上黙認しているのです。

イギリスの人々がチャーチルの言葉が正しかったことを知るのは、一九三九年にドイツがポーランドへ侵攻したときでした。

そして翌一九四〇年、チャーチルはイギリスの首相に就任しますが、ドイツ軍の勢いをとめることはできませんでした。

それでもイギリスは、最終的にドイツに勝ってはいるのですが、この戦争で植民地のほとんどを失ってしまいます。

「これでわれわれは本当に戦勝国家と言えるのか？」

イギリスの人々がそう嘆くほど、第二次世界大戦によるイギリスの実質的被害は大きなものだったのです。

こうした歴史があるので、ドイツが主導するＥＵに対しても、イギリスは不信感を払拭することができないのです。

それでもこれまでは何とか、ヨーロッパの共通利害のために足並みをそろえてきたのですが、財政破綻したギリシアへの援助や、シリア難民の受け入れなどで、増え続けるEUへの負担金に対し、ついに「なぜ俺たちがここまでしなければならないんだ」というイギリス国民の不満が爆発したのです。

なぜEUはギリシアを見限れないのか

難民問題はともかく、経済破綻をしたにもかかわらず、自主再建の努力を放棄しているかのようなギリシアに対し、EUはなぜ巨額の援助をし続けるのでしょうか。

この問題については、私の友人である山内昌之《やまうちまさゆき》さんが、佐藤優さんとの対談『第3次世界大戦の罠――新たな国際秩序と地政学を読み解く』（徳間書店）の中で、非常にわかりやすく解説していました。

実は、ギリシアの経済破綻は今に始まったことではなく、かつてオスマン帝国の支配下にあったときからずっと、ギリシアは脱落者なのだと言うのです。

ギリシアは、もともと周囲が援助しなければ国を支えることができない状態だったのですが、EUに入ったことで、それが露呈しただけのことだと言うのです。つまり、百数十年前のオスマン帝国のときからずっと、ギリシアは周囲の国々のお荷物だった、ということです。

それでも周囲が助け続けてきたのは、特にヨーロッパ側にとっては、ギリシアが自分たちの文化のふるさとだからです。ふるさとを切り離すわけにはいかないから援助するのですが、そうしたヨーロッパの思いをギリシアはよく知っているので、「どうせ見捨てるわけないのだから」と高をくくって努力しようとしないと言います。

実際問題として、もしEUがギリシアを見捨てたら、すぐにでもロシアや中国が、へたをするとISが入ってきて拠点化してしまうでしょう。彼らが虎視眈々《こしたんたん》と狙っていることもあって、EUはさらにギリシアを切り捨てられなくなっているのです。

ギリシアはヨーロッパにとって文明の聖地であるとともに、地政学的にも非常に重要な場所です。万が一、そこに敵対勢力が入ってきたら、本当に危ないことになるのをみんながわかっているのです。だから、どれほどお荷物でも切り離せないのです。

日本人にはそこら辺の感覚が、今ひとつわからないので、なぜＥＵが、繰り返し約束を破り再建のための努力をしようとしないギリシアを助け続けているか理解できないのですが、ギリシア問題の根底にあるのは、ヨーロッパのふるさとへの思いと危機感、そして、それに乗じるギリシアのおごりなのです。

しかし、そうした関係にも、イギリスの離脱で変化が見られるかもしれません。

これまでかなりの金額をイギリスが負担していたわけですから、それが入ってこなくなったときＥＵ諸国はどうするかというと、ドイツに頼るしかなくなるわけです。しかし、そうなれば、ますますドイツの力が強まっていく一方で、頼られすぎたドイツが一種のヒステリー状況に陥る危険性があります。

そこでＥＵが分裂するのか、ドイツがまとめることに成功するのか、最悪、ドイツにネオナチのようなものが誕生する危険も考えられます。

民族のつながりを無視した国境が招いた悲劇

日本は太古から基本的に国の形が変わっていないため、実感がないのですが、世界の国々は長い歴史の間に何度も集合と離散を繰り返してきています。国の形というものが変化する大陸世界では、国よりも民族のつながりのほうが強いのです。

たとえば、ソビエト社会主義共和国連邦という国はなくなりましたが、ロシアという国の中でかつてと変わらぬ民族が、民族としてのつながりと歴史の中で生きています。

ソビエトの崩壊に伴い独立国家になったアルメニアは、国としては新しいのですが、民族としては長い歴史を持っています。実は、世界で最初にキリスト教を国教としたのは古代アルメニア王国だったのです。アルメニアがキリスト教を国教にしたのは三〇一年ですから、ローマでキリスト教が公認されたミラノ勅令（三一三年）よりも前なのです。

現在のアルメニア共和国はトルコとイランのあいだに位置しているので、なんとなくイスラム教なのではないかと思っている人が多いのですが、今も国民のほとんどがキリスト教アルメニア教会の信者です。

現在アルメニアの人口は二八〇万人ほどですが、アルメニア人は「ディアスポラなアルメニア人」と言われているぐらいで、世界中に五〇〇万人のアルメニア人が散らばっていると言われています。

「ディアスポラ（Diaspora）」というのは、「撒き散らされたもの」という意味のギリシア語に由来する言葉で、国を離れて暮らす民族を意味します。主にユダヤ人に使われることが多いのですが、アルメニア人や、中国系の華僑《かきょう》と呼ばれる人々もディアスポラと言えます。

アルメニアの国土は、平地が少なく山谷が多く、全体を統合するような権力ができにくい土地柄でした。そのため古くから小さな地域ごとに自治的な空間が点在していました。

アルメニアはトルコ人やモンゴル人などさまざまな異民族支配を受けてきましたが、最終的にはもともとのアルメニア人という形で残ったのは、規模が小さかったことで、かえって民族としての結束力が維持されたからではないかと言われています。

こうした民族としての結束力の強さは、ユダヤ人もそうですが、アルメニア人の場合も、国を離れて散り散りになった後も失われることはありませんでした。もしも今日本人が国土を失ったら、ディアスポラな日本人となれるかというと、はなはだ疑問です。日本人はこれまで安定した国土に依存していたため、民族としてのつながりが彼らほど強くないからです。

中東やアフリカなども非常に新しい国がたくさんあります。国境線を見ると特徴的なのですが、新しい国境は人為的な思惑で決められることが多いため、直線が多く見られます。

しかし、実際にその土地に古くから住んでいる民族の境界線は、決して直線ではありません。こうした根強い民族のつながりと、人が政治的に決めた国境線の矛盾が、世界各地で争いの火種となっていることも、われわれはもっと知るべきでしょう。

実際、アフリカに見られる直線的な国境線の多くは、第二次世界大戦後にイギリスやフランスなどのヨーロッパ諸国と、それを支援するアメリカなどの思惑によって決められたもので、現地の人々の生活や意思は反映されていません。

中東の問題は、第二次世界大戦より前、第一次世界大戦の際のイギリスの二枚舌外交が招いた悲劇と言えます。

第一次世界大戦でなかなか勝機がつかめなかったイギリスは、アラブ民族の支援を取りつけようとして、当時オスマン帝国からの独立を目指していたアラブ民族に、イギリスがこの戦争に勝った暁《あかつき》には彼らの意向を全面的に支援すると約束します。

このときイギリスからスパイとして送り込まれたのが、映画『アラビアのロレンス』（一九六二年／日本では一九六三年公開）で知られるイギリスの陸軍将校トマス・エドワード・ロレンスでした。

彼はイギリス本国の命令で、アラブ民族の意向に従って、彼らの独立運動を支援しました。ところが、このときイギリスは、フランス、ロシアと、アラブ人の土地も含むオスマン帝国領を三分割する密約（サイクス・ピコ協定）を交わしていたのです。

その結果、アラブ民族の活躍によりオスマン帝国が瓦解し、やっとアラブ王国の建国が見えてきたとき、イギリスはアラブを裏切り、密約を実行してしまったのです。

ロレンスはイギリスでは英雄扱いをされますが、彼自身はイギリスの二枚舌外交を知らされていなかったため、これまで一緒に戦ってきたアラブ民族を裏切った自責の念に苦しんだと言われています。

ですから、現在のＩＳの現支配体制への反発の背景にも、こうした民族を無視した人為的国境線を中東に引いたヨーロッパ列強に対する不満と恨みが存在しているとも言われているのです。

平和と繁栄が続くとなぜ人は退廃するのか

日本は敗戦後、平和と繁栄を手にしました。

それはとても喜ばしいことなのですが、最近、日本人の明らかなモラルの低下を露呈するような事件が相次いでいます。

真面目で誠実だったはずの日本企業がデータを改ざんしていたり、大切に育てたはずの子供が引きこもりのあげく親を殺してしまったり。

もし、先の大戦で亡くなっていった先人たちが今の日本を見たら、自分たちはこんな国にするために命がけで戦ったのではないと、嘆くのではないかと思うほどです。

でも、これは日本に限ったことではありません。どんな国でも、どんな時代でも、長く繁栄した国は必ず退廃してしまっています。

実際、人類は長い歴史の中で、戦争と平和、繁栄と退廃を何度も何度も繰り返しています。

中でもローマは、こうした繁栄と退廃のサイクルが歴然としています。

第6章で前述したように、共和政期のローマは、ギリシアの使節が「三〇〇人の元老院貴族は、まるで一人ひとりが王者のようだった」と評するほどの権威を持っていました。

その後も、カエサルの時代ぐらいまでは、凛々《りり》しい人々のほうが多いのですが、それから百年もしないうちに、ネロのような暴君が現れ、三世紀になると、退廃した性癖で名を馳せ「史上最悪の君主」という不名誉な呼び名で記憶されるヘリオガバルスという皇帝が君臨しています。

国の上層部が乱れれば、当然のごとく下も乱れます。

ローマの繁栄期には、遺産狙いの詐欺が横行しているのですが、財産を持っている老人に言葉巧みに近寄り、遺言状に自分の名前を書かせて、遺産をだまし取るという、今のオレオレ詐欺（特殊詐欺）を彷彿《ほうふつ》させる手口が使われています。

もちろん、どんな時代にも立派な人物はいるのですが、繁栄とともにそうした人の絶対数が少なくなっていき、社会全体のモラルが低下していくのです。

興味深いのは、モラルが低下していくとともに、人々が優しくなっていく傾向が見られることです。これは見方を変えれば厳しさの欠如であったり、優柔不断とも言えるのですが、退廃にむかう社会では人は自分にも他人にも優しくなっていくのです。

今の日本も、必要以上に優しい社会になってきているような気がします。

でも、これは本当の意味での優しさではありません。本当の優しさは、自分というものをきちんと持った人が、周りに対して示す寛容さです。

人間社会は繁栄すると必ず退廃していく。

歴史はそのことを物語っていますが、われわれ人類は、まだどうすればこの問題を解決できるのかという学びは得られていません。

どうすれば退廃しない平和な社会を繁栄させることができるのか。

これは私自身はもちろん、今を生きる一人ひとりが考えるべき歴史の命題だと思っています。

おわりに

大学の教師として最初の三年間は法政大学第一教養部に所属し、その後二十八年間は東京大学教養学部で教鞭をとり、退官後に早稲田大学国際教養学部で四年間、特任教授として籍を置きました。この教歴を並べて、筆者はよくよく「教養」を身につけたものだと苦笑したことがあります。

もちろん研究者としてはひたすら史料や文献を漁《あさ》りながら鬱々《うつうつ》とデスクに向かって働く日々でした。でも、教育の現場では「教養」としての歴史を語ることに努めてきました。

「教養」としての歴史とは、やはり人の世を生きる途上での糧《かて》となる栄養素です。そこには個人の経験をこえた人類の経験の総和があるのですから、それに目を向けないのはもったいないわけです。

私は狭義ではローマ史の専門家ですが、大学の講義では、なにかにつけ世界史の全体に目配りしながら語ってきました。

ゲラの校正刷を読みながら、本書には教壇に立って語ってきたエッセンスが詰まっているような気がしています。その意味で、ここには歴史教育者としての等身大の自分があると思います。

本書の編集にあたってはPHPエディターズ・グループの鈴木隆さんに諸事万端たいへんお世話になりました。また、板垣晴己さんには編集協力者として筆者の至らない諸所にご配慮をいただきました。文庫化にあたってはPHP研究所の桑田和也さんにお世話になりました。重ねて感謝の言葉を申し添えさせていただきます。ありがとうございます。

二〇二四年二月吉日

本村凌二

写真提供：ユニフォトプレス
編集協力：板垣晴己

著者紹介
本村凌二（もとむら　りょうじ）
東京大学名誉教授。博士（文学）。1947年、熊本県に生まれる。1973年、一橋大学社会学部卒業。1980年、東京大学大学院人文科学研究科博士課程単位取得退学。東京大学教養学部教授、同大学院総合文化研究科教授を経て、2014年４月から2018年３月まで早稲田大学国際教養学部特任教授。専門は古代ローマ史。『薄闇のローマ世界』でサントリー学芸賞、『馬の世界史』でＪＲＡ賞馬事文化賞、一連の業績にて地中海学会賞を受賞。著書に『多神教と一神教』（岩波新書）、『ローマ帝国　人物列伝』（祥伝社新書）、『競馬の世界史』『世界史の叡智』（以上、中公新書）、『愛欲のローマ史』『興亡の世界史　地中海世界とローマ帝国』（以上、講談社学術文庫）などがある。

本書は、2017年１月にＰＨＰエディターズ・グループから刊行された『教養としての「世界史」の読み方』を加筆・修正したものです。

PHP文庫　教養としての「世界史」の読み方

2024年4月15日　第1版第1刷

著者　本村凌二
発行者　永田貴之
発行所　株式会社ＰＨＰ研究所
東京本部　〒135-8137　江東区豊洲5-6-52
ビジネス・教養出版部　☎03-3520-9617（編集）
普及部　☎03-3520-9630（販売）
京都本部　〒601-8411　京都市南区西九条北ノ内町11

PHP INTERFACE　https://www.php.co.jp/

制作協力
組版　株式会社PHPエディターズ・グループ

印刷所
製本所　図書印刷株式会社

© Ryoji Motomura 2024 Printed in Japan
ISBN978-4-569-90394-1
※本書の無断複製（コピー・スキャン・デジタル化等）は著作権法で認められた場合を除き、禁じられています。また、本書を代行業者等に依頼してスキャンやデジタル化することは、いかなる場合でも認められておりません。
※落丁・乱丁本の場合は弊社制作管理部（☎03-3520-9626）へご連絡下さい。送料弊社負担にてお取り替えいたします。

PHP文庫

ケミストリー世界史

その時、化学が時代を変えた!

大宮　理　著

予備校の化学講師の中でもとりわけ世界史に詳しい著者が、世界史の流れを時系列に追いながら、時代を変えた化学の話を紹介する。